EL PREMIO DE TU VIDA

Arnfinn Kolerud

EL PREMIO DE TU VIDA

CROSS
BOOKS

CROSSBOOKS, 2019
www.planetadelibrosjuvenil.com
www.planetadelibros.com
Editado por Editorial Planeta, S. A.

NORLA
NORWEGIAN LITERATURE ABROAD

Esta traducción cuenta con el apoyo de NORLA.

Título original: Snillionen
© del texto: CAPPELEN DAMM AS, 2017
© de la traducción: Bente Teigen Gundersen y Mónica Sainz Serrano, 2019
© Editorial Planeta S. A., 2019
Avda. Diagonal, 662-664, 08034 Barcelona
Primera edición: noviembre de 2019
ISBN: 978-84-08-21724-4
Depósito legal:
Impreso en España

El papel utilizado para la impresión de este libro está calificado como **papel ecológico** y procede de bosques gestionados de manera **sostenible**.

PRIMERA PARTE

Una noche cualquiera Frank y Madre ganan la lotería. Están sentados cada uno en un lado del sofá. En la tele hay una bonita mujer con un bonito vestido que sonríe sin parar, seguramente porque sabe que es una mujer bonita con un vestido bonito.

Frank hojea una revista.

Al cabo de un rato oye cómo Madre inspira profundamente, como si fuese a bucear.

—Frank —susurra.

Él levanta la vista de la revista. Madre mira su billete. Se le pone la piel de gallina.

—Frank —susurra una vez más. Y se cubre la boca con la mano.

En la pantalla azul sale el número más alto que Frank ha visto en su vida.

Frank y Madre han ganado con estos números:

2 – porque Frank y Madre son dos
5 – letras en el nombre de Madre
5 – letras en el nombre de Frank
7 – días de la semana que pasan juntos

8 – porque es un número que se parece a un muñeco de nieve que hizo Frank el día en que él y Madre pensaron la combinación de números de la lotería

11 – dos cepillos de dientes en un mismo vaso en el cuarto de baño

18 – el muñeco de nieve después de colocarle una escoba

Es una combinación de números con mucho peso en las primeras cifras. Nunca vamos a acertar, dijo Madre cuando la crearon. Ahora han acertado. Ahora es nunca.

Madre le pide a Frank que compruebe los números. Dos veces. Luego suena su móvil. Frank oye que es una mujer. No entiende lo que dice, solo lo que dice Madre:

—Es demasiado —dice Madre.

Y:

—Nunca he ganado más de ochenta y nueve coronas.

Y:

—No está bien ganar tanto sin trabajar por ello. ¿Es posible que solo nos den la mitad?

—Mamá —dice Frank. Se levanta y niega enérgicamente con la cabeza.

—Chisss, estoy sentada al teléfono —dice ella.

Es raro que diga eso. Seguramente sea una expresión de los viejos tiempos, cuando había cabinas de teléfono en las que uno podía entrar y sentarse en una banqueta.

—Imagina que se nos sube a la cabeza —dice Madre.

Después de la conversación, Madre entra en el baño. Se ríe a carcajadas, de una forma espantosa, en el pequeño aseo. Quizá se esté riendo del papel higiénico barato que tienen.

Frank mira por la ventana del salón. Allí las vistas son las de siempre. Césped con casas. Casas con césped. Alguna que otra oveja. El fiordo con las olas, las olas con los barcos. La tienda iluminada. Y el colegio, por supuesto, que continúa allí como recordatorio permanente de los deberes. Pero ahora, mientras Madre se encuentra en el baño riéndose a carcajadas, Frank ve más cosas. Ve una piscina con agua azul celeste cerca del puerto. Ve una pista de esquí alpino en la pendiente de la colina, con puertas rojas y azules. Ve una pista de tenis de tierra batida rodeada de una valla. Un parque de atracciones con tiovivos.

Cuando Madre vuelve del aseo, tiene la cara roja. Está despeinada, como si hubiese intentado ahuyentar a unos mosquitos de su pelo.

—Ahora podemos tener todo lo que queramos —dice con voz temblorosa—. Una casa nueva, con un porche que la rodee completamente. Un coche nuevo, con garaje. Una cabaña en la montaña.

—Yo he pensado en algo totalmente distinto —dice Frank.

Frank y Madre van a la cafetería para celebrarlo. Es un verano fresco, con viento y lluvia.

—No sonrías así —dice Madre.

Pero ella sonríe tanto como él.

En la mesa de al lado hay tres adolescentes con chaqueta. A menudo hace un poco de frío en la cafetería, así que muchos se dejan la chaqueta puesta hasta que llega la comida.

—Imaginad que conocemos a la que ha ganado —dice una chica.

Tiene un grano de metal en la nariz.

—No es seguro que sea de aquí. Solo que el billete ha sido vendido aquí —dice un muchacho.

—Seguramente sea una tía vieja que tiene todo lo que necesita —dice el tercero—. Solo querrá unas zapatillas nuevas de andar por casa. Y dará el resto a sus hijos, que vivirán lejos.

Madre se sienta de espaldas al grupo. Por eso puede sonreír enigmáticamente mientras lee el menú.

—¡Imaginad, veinticuatro millones! —dice la chica.

Los jóvenes hablan en voz alta, quizá sea porque llevan

puestas las chaquetas. Cuando caminan por la calle con ellas puestas, están acostumbrados a hablar en voz alta. Luego se olvidan de bajar la voz en el interior, hasta que se las quitan.

Frank y Madre piden lo de siempre.

—¿Con extra de queso? —pregunta Frank.

—Con extra de queso —dice Madre en voz baja al camarero, como si temiese que el extra de queso fuese a desvelar lo ricos que son.

—Conozco a un futbolista extranjero —dice Frank mientras esperan— que solo se pone los calzoncillos una vez. No los lava. Simplemente los tira a medida que se los cambia.

—Eso me pone enferma —dice Madre.

Frank tendrá unos diez o doce calzoncillos para cambiarse. Cuando hay muchos secándose en el tendedero, parece que la casa esté llena de chavales.

El camarero se acerca con los vasos y las bebidas. Madre gira el vaso y dice en voz baja:

—Este lo podrían haber cambiado. Mira todos estos rasguños. Casi hay más rasguños que vidrio.

Mientras Frank y Madre comen, escuchan a los adolescentes. Uno de ellos dice:

—Leí sobre un basurero en Inglaterra. Ganó muchísimo dinero en la lotería, seguro que unos cien millones. Luego, se lo gastó todo en coches y mujeres y aviones privados. Cuando se quedó sin blanca, no consiguió recuperar su trabajo de basurero. Ahora trabaja en una fábrica de galletas.

Los otros dos se ríen.

Frank y Madre comen en silencio. Los jóvenes hablan sobre gente que ha desperdiciado su dinero. Aparece una arruga en la frente de Madre. Frank disfruta del extra de queso. Su mitad de pizza tiene piña. Trocitos de piña que se parecen a los rayos de sol cortos y gruesos que solía pintar en la esquina superior de la hoja cuando iba a primero de primaria.

Madre y Frank no son capaces de comérselo todo. Madre pregunta a los adolescentes si ellos quieren lo que queda. Les coge desprevenidos. Sus caras se iluminan.

—Muchísimas gracias, qué amable —dice la muchacha con el granito de metal.

Madre rebusca en la cartera monedas para la propina. Tiene que elegir entre un billete de cincuenta y una moneda de cinco. Deja la moneda de cinco.

—Quizá sea la última vez —dice.

—¿La última vez de qué? —pregunta Frank.

—La última vez que pueda dejar tan poca propina.

En el coche, de vuelta a casa, Madre dice:

—Creo que lo mejor será seguir viviendo como antes.

Frank la mira.

—¿Como antes?

—Sí, no debemos despilfarrar.

—¿No?

—No necesitamos una casa grande. No necesitamos un coche nuevo, ni necesitamos joyas y relojes.

Habla como si recitase uno de los diez mandamientos, en opinión de Frank. O podría ser el decimoprimero.

—Tenemos veinticuatro millones de coronas —protesta.

Madre aprieta las manos con fuerza alrededor del volante. Es difícil hablar con alguien que tiene las manos en un puño.

—No tenemos por qué decírselo a nadie. Puede ser un secreto. Tu parte estará en el banco hasta que cumplas los dieciocho.

—¿Dieciocho? —exclama Frank. Ya puestos, podría haber dicho que tiene que ir a buscar el dinero a otro planeta.

—En cualquier caso, primero vas a acabar los estudios. No dejaré que te conviertas en un malcriado.

—¿Por qué no? —pregunta Frank.

Sus compañeros de clase tienen abuelos que los malcrían. Muchísimo. Frank solo tiene unos abuelos que viven lejos.

—Yo voy a seguir trabajando. No voy a quedarme haciendo el vago en casa en bata.

—Friegas suelos —dice Frank.

—Y también mesas y sillas y escaleras —añade Madre—. Y además ¡hablo con la gente!

Una vez en casa Frank se quita las zapatillas a patadas. Una golpea la pared, con algo más de estruendo del esperado. Es como si esta estuviese cabreada. La zapatilla cabreada le contagia. Entra en su cuarto y cierra la puerta de un portazo, tirándose bruscamente sobre la cama.

—Tienes suerte de tener tu propia habitación para estar de mal humor —grita Madre desde el pasillo—. En el extranjero no la tienen. Piensa en Asia.

Frank no quiere pensar en Asia.

Saca un cómic, pero no lee. Solo pasa las hojas tan deprisa que los sonidos —frish, frish— recuerdan a los esquís cuando rodean las puertas de eslalon. Deja el tebeo y se queda en la cama de mal humor, un mal humor que llena el cuarto.

Para desayunar Frank pone una loncha extra de salchichón en la rebanada de pan. En cuanto le da el primer bocado, se lleva la loncha extra de salchichón. Entonces pone otra más.

—No comas solo embutido —dice Madre, de espaldas.

—Veinticuatro millones —responde Frank.

—Sí, pero debes sujetar el salchichón en la rebanada de pan como antes.

Ella está trasteando con algo en la encimera de la cocina, pero Frank no puede ver qué es. Después se sienta con una tostada y una taza de café y mira por la ventana. Afuera todo es como de costumbre. Una mezcla de nubes oscuras y claras. Al parecer, llovizna.

En la encimera hay unas tijeras.

Frank observa la tostada que Madre se lleva a la boca.

—La mayonesa —dice él—. Es más ancha. ¡Has hecho un agujero más grande en el sobrecito!

Madre niega con la cabeza mientras mastica. Tiene mayonesa en los labios. Tiene mayonesa en las puntas de los dedos. La rayita de mayonesa que suele poner es tan fina como un hilo de coser. Ahora es tan gruesa como el cable de una lámpara.

—No pongo más ahora que antes —manifiesta ella—. Antes solía hacer garabatos con la mayonesa, pero ahora solo hago líneas rectas, ¿sabes? Más bien pongo menos que antes.

Después del desayuno Frank va al colegio de color amarronado del centro del pueblo. Es posible que las personas que eligieron el color marrón pensasen que a los niños les iba a recordar a una gran tarta de chocolate. Sin embargo, recuerda más bien a una vaca, o a lo que sale de la vaca.

En un charco fuera del colegio hay un chaval que se llama Pål. Si alguien se acerca lo suficiente, le salpica barro. Frank y los demás dan un rodeo para librarse. Es una tontería que alguien pueda estar plantado en medio del barro y salpicar a los demás sin mancharse a sí mismo.

—Rita Cagadita —grita Pål—. E Ida Malnacida. Peter Catéter. Frank Choripán, o Lisc Malarife.

—Eres tan infantil —dice Vibeke—. Cuando seas mayor, si es que llegas a ser mayor, te convertirás en un lelo que insulta a la gente debajo de una farola.

—Vibeke Culo-panqueque —vocifera Pål.

—Pål Subnormal —dice Vibeke.

Pero es demasiado flojo como para ofender a Pål.

Cuando ya no queda agua en el charco con la que salpicar, Pål entra.

A primera hora tienen ciencias sociales, pero los alumnos no hacen más que hablar del gran premio.

—La persona que ha ganado veinticuatro millones ¿puede levantar la mano? —pregunta la profesora.

A Frank le entran ganas de levantar un dedo, como si

se ofreciese voluntario para ir a buscar leche. Pero lo deja estar.

—Pues no, siempre son otros los que ganan —suspira la profesora.

Pero no abre el libro y, por lo tanto, se supone que van a charlar un poco.

—Pero si vosotros hubieseis ganado semejante cantidad de dinero, ¿en qué os lo gastaríais?

Deja que todos sueñen despiertos durante un instante.

—Una excavadora —dice Oskar sin levantar la mano.

Oskar se ha criado en el arenero; siempre acompañado de una pala amarilla. Ahora han ocupado su lugar los niños más pequeños, pero él a menudo se queda observándolos, ofreciéndoles buenos consejos.

—Para que puedas excavar un solar para construir un gran palacio —dice la profesora.

—No —puntualiza Oskar—. Solo para cavar. Y tiene que tener luz en el techo para que pueda cavar de noche.

El padre de Oskar tiene su propia excavadora. Es él quien cava las tumbas del cementerio. En ocasiones deja que Oskar lo acompañe para rellenar los agujeros con tierra, sobre los ataúdes.

—Yo voy a ser una estrella del pop —dice Edel.

No es una respuesta a la pregunta, pero es lo que suele contestar a la mayoría de las preguntas. En este momento está ahorrando para comprarse un ventilador. Lo colocará en el borde del escenario cuando cante. Luego su melena se agitará al viento. De esta forma la canción cobrará más vida. En breve cantará en un estadio de fútbol, delante de diez mil personas, y lo hará tan bien que la gente se tirará de los pelos y se arrojarán sillas los unos a los otros. Eso no va a ocurrir, le han dicho los chicos. Ella canta bastante bien, pero no tan bien. Si pretende que la gente grite y se tire de los pelos, tendrá que pagar para que lo hagan.

—Denisa —dice la profesora.

Denisa se sienta delante de Frank y lleva un buen rato agitando en el aire una regla partida por la mitad.

—Un cohete a Marte —grita sin bajar la regla, como si quisiera señalar el rumbo del cohete a Marte. La profesora sonríe y cierra los ojos un momento, como si se imaginara a Denisa en Marte, o en otro lugar muy lejano.

—¿Frank?

— ¿Qué? —responde Frank sobresaltado.

—¿En qué te lo gastarías?

—¿Yo? —pregunta, y nota que le arde la cara. Debe responder algo rápido. No se le ocurre nada. Solo dice—: ¡Extra de queso!

La clase se ríe.

—¿Nada más?

—No —dice Frank apretando los dientes.

—¿Tienes que ir al baño?

La clase ríe a carcajadas.

—No —dice Frank.

—De acuerdo. ¿Y tú, Aleksandra? —continúa la profesora. Aleksandra es la que se sienta más alejada de Frank.

—Una piscina gigantesca —responde—. Con chorros de masaje que salgan de las paredes y con una plataforma de salto, y un quiosco de helados gratis y hamacas y sombrillas, y una enorme palmera.

—Una palmera —dice Denisa con desdén, como si una palmera fuese más estúpida que un cohete a Marte.

Enseguida todos han dicho lo suyo. La profesora lanza una breve mirada a Frank antes de coger el libro de ciencias sociales.

—¿Y tú? —pregunta Oskar.

Se lo pregunta para escaquearse de sociales.

La profesora hace el esfuerzo mental de esbozar una sonrisa.

—Supongo que viajaría.

—¿A Marte? —pregunta Denisa.

—Para nada —responde—. Tal vez un martes, pero no a Marte.

Frank no ha dicho ni mu. Es Madre quien se ha ido de la lengua. Ha llamado a su Madre, o sea, la abuela, que vive a una distancia de dos horas, y se lo ha contado. La abuela seguramente ha prometido guardar el secreto, pero luego ha ido a la peluquería y allí no ha sido capaz de aguantarse. Después puede que la peluquera se lo haya mencionado a la chica que barre el suelo, diciéndole que no debe decírselo a nadie, etcétera, y de pronto, esa misma noche, llaman a la puerta de Frank y Madre, y allí fuera, bajo la lluvia, sin paraguas y con zuecos de goma, aparece la vecina cacareando:

—¿Es cierto?

Madre pasa las próximas horas al teléfono. Dice gracias y no. Frank presupone que dice no cuando la gente le pregunta si va a dejar el trabajo. Madre limpia en un hogar para manazas. Es insoportable, dice al menos una vez a la semana. La gente rellena las tazas de café hasta arriba y piensa que puede volver a su cuarto sin derramar nada. En el suelo de la cafetería podrían hartarse a comer grandes animales de tantas migas que hay. En el cuarto de baño nadie es capaz de tirar el papel de secarse las manos a la papelera. Simplemente se dan un par de toquecitos en las manos con el papel y lo dejan suspendido en el aire, como si fuera una paloma mensajera.

—Podrías buscar otro trabajo, ¿no? —le sugiere Frank al menos una vez por semana.

Frank adivina por su voz que Madre está sonriendo. Mira por la ventana. Allí todo es como antes. Césped con casas. Casas con césped.

A la mañana siguiente, antes de la primera clase, Frank se encuentra rodeado en el pasillo. Todos quieren alborotarle el pelo y darle una palmadita en el hombro. Los niños más pequeños quieren su autógrafo, y una niña de séptimo le pregunta si quiere ser su novio. Oye palabras como «Ferrari» y «aerodeslizador» y «escalera eléctrica» y «Barcelona». A nadie le importa que suene la campana, antes de que llegue un profesor y diga «¡hola!» en tono estricto.

Se tarda en conseguir calma en el aula. Todos miran a Frank. El profesor tiene una expresión pícara. Tienen clase de mates. Escribe en la pizarra:

Frank tiene diez años y ha ganado 24 millones de coronas. ¿Cuánto puede gastarse cada día del resto de su vida si llega a los ochenta años?

La clase ha aprendido a calcular la media. Los más aplicados se inclinan sobre la calculadora. Los que no son tan estudiosos miran a Frank, como si la respuesta fuese a aparecer en su rostro. Frank sabe cómo calcularlo, pero no lo hace. Mira el cuaderno cuadriculado. Uno de los alumnos quiere saber cuántos ceros hay en un millón. El profesor tiene que escribir el número en la pizarra. Sofie lo mira y levanta la mano. Es la más pequeña de la clase. Un poco rarita. Pregunta:

—¿Con carita sonriente?

—No —responde el profesor.

—¿Por qué no?

Cuando Sofie escribe, suele adornar la letra O y el número 0 con una carita sonriente. El profesor le ha dicho que tiene que dejar de hacerlo. Si alguna vez trabaja en una oficina, redactando cartas y haciendo cálculos, no puede perder el tiempo rellenando las oes con caritas sonrientes. Entonces la despedirían.

Jørgen levanta la mano. Su padre trabaja en un banco.

—Novecientas treinta y nueve coronas al día —dice.

—Y treinta céntimos —añade una chica.

—Y si solo llegas a los cuarenta años, puedes gastar el doble —comenta Oskar.

—Eh, no —apunta Jørgen—. Ahora no tiene cero años.

El profesor escribe el número en la pizarra, debajo del enunciado, subrayado con dos líneas:

$$\underline{\underline{939}}$$

Se hace un silencio total. Los alumnos miran la respuesta y a Frank. Sus sonrisas expresan asombro. Distancia. Cuando Frank no devuelve la sonrisa, contagia a los demás. Sus sonrisas se convierten en labios con un agujero en medio. 939 coronas. Toda la clase se sabe la tabla de multiplicar. Cinco por cinco son veinticinco. Seis por siete son cuarenta y dos. Ahora es cuando Frank descubre, en la mirada de los demás alumnos, que él quizá se haya convertido en un cálculo demasiado complejo para ellos. Frank pertenece a la tabla del 939.

—Hum —dice el profesor cuando se percata del silencio que se ha cernido sobre el aula. Se apresura a borrar la elevada respuesta y el enunciado. Todos sacan el libro de mates.

—Página veintinueve —dice el profesor. Es un número bajo.

Sin embargo, el número de la página es el mayor número que aparece en toda la página.

Frank se encuentra rodeado en cada recreo. Se le acercan manos. Manos que le dan palmaditas y le empujan de una forma amistosa. Oye palabras como «parque de *skate*» y «mesa de billar» y «carril bici». Cuando tiene tantas manos encima, no sabe dónde colocar las suyas propias. En un recreo se acercan a él dos niñas pequeñas.

—¿Eres Frank?

—Sí —responde.

—¿Puedes comprarnos lápices de color carne?

Los de primero colorean mucho, le cuentan, y se les ha acabado el color carne. Solo les queda un trocito pequeño que se van intercambiando. Es algo que causa mucha inquietud en la clase, lo cual le preocupa especialmente al profesor. El trocito de lápiz es tan corto que apenas puede sujetarse. Y el profesor ha dicho que no tiene intención de comprar nuevos. Tendréis que usar el naranja, les dice. Pero todos saben que el naranja no tiene nada que ver con el color carne.

—No somos naranjas —dicen las niñas.

—Ya veremos —dice Frank.

Frank pasa la mayor parte del tiempo con Denisa y Oskar. Denisa lleva una camiseta roja. Quiere ir a Marte. Marte se conoce como el planeta rojo y, por lo tanto, lleva una camiseta roja para ir acostumbrándose al color. En unos años saldrá un transbordador espacial para allá. Cuando uno oye la palabra «transbordador», piensa quizá en una embarcación que va de ida y de vuelta cada media hora. Sin embargo, el transbordador a Marte solo irá en una dirección —de ida— y no de vuelta. Los que se marchen jamás volverán a ver a su familia. A lo mejor a través de una pantalla, pero nunca podrán tocarse. No pasa nada, dice Denisa, porque en su casa tampoco es que se toquen mucho. Más que nada le echan la bronca por quedarse fuera hasta muy tarde y por no recoger su habitación, y porque guarda las cosas en la nevera sin cerrarlas. Frank y Oskar no creen que Denisa vaya a poder ir a Marte jamás. Han intentado explicarle que cuando vayan a colonizar un nuevo planeta, elegirán a los más fuertes y listos. No se llevarán a gente que confunda las letras b y d y que destroce reglas y agite botellas hasta desparramar su contenido. Denisa no se lo cree. Cuando se va a poblar un nuevo planeta, dice ella, hay que mejorar lo que estaba mal en el planeta antiguo. Es decir, crearán un nuevo alfabeto en el que las letras no se parezcan tanto.

Denisa ha intentado persuadir a Oskar para que la acompañe. Puede llevarse una pequeña excavadora a Marte. Primero puede preparar las parcelas para construir las casas. Luego, cuando la gente empiece a morir, puede cavar tumbas. Oskar responde que ya hay suficientes personas que enterrar en este planeta. Y no se sabe qué tipo de tierra hay en Marte. A juzgar por las imágenes que él ha visto, Marte parece un planeta hecho de arena de gatos.

Oskar sabe qué quiere ser de mayor. Cavará agujeros, meterá a las personas muertas dentro y luego tapará los agujeros. Es como sembrar una semilla, solo que al revés. Además, algunos piensan que cuando se planta a una persona muerta, es decir, un cadáver, brota un fantasma en su lugar. Un muerto viviente. Pero Oskar dice que no es así. Los cadáveres son devorados por gusanos y bichejos. Él sabe de lo que habla. Ha cavado desde que era pequeño. En primaria los demás niños excavaban carreteras y túneles y diques. Oskar se limitaba a cavar agujeros, metiendo cosas dentro y volviendo a taparlos con arena. Algunas veces venía un niño con una sola manopla y resultaba que Oskar había enterrado la otra. En una ocasión en que Oskar lo negó, el profesor salió y revolvió la mitad del arenero, y encontró la manopla y la tartera de una chica de sexto, y una carta que Oskar debería haber llevado a sus padres a casa, y una pala. ¡Imagina enterrar una pala! Más tarde, en clase de ciencias naturales, vieron una película sobre un ratón que enterraba su comida para almacenarla para más tarde. Entonces todos se giraron y miraron a Oskar. Comprendieron que había enterrado su pala para que nadie se la quitara, y en compañía de su padre enterraba a gente en el cementerio para tener guardada algo de carne para comer si se llegaba a quedar sin pan. Eso lo decía Denisa. Muchos se rieron, pero el profesor dio un manotazo a la mesa y dijo que era horrible decir algo así, muy horrible, y que no quería oír ese tipo de comentarios en el aula. Tendría que poderse proyectar un documental de naturaleza sobre un ratón que enterraba media patata debajo de un arbusto sin que todo terminase en una conversación desagradable. Después, la clase permaneció en silencio durante muchos segundos, hasta que Denisa rompió una regla y pidió perdón, al profesor o a la regla.

Frank tiene la impresión de que Oskar, cuando se haga mayor, puede acabar enterrando a gente prematuramente, es decir, antes de que se mueran del todo. Más debido al entusiasmo, quizá, que a la maldad.

La clase de Frank ha elaborado una larga lista de deseos que quieren que él se lleve a casa. Le piden que espere a que Madre esté de buen humor. No debe entregarle la lista cuando ella esté buscando algo en el congelador o se sienta insatisfecha con su cuerpo. Por eso, después de cenar, Frank recoge la mesa, lo mete todo en el lavavajillas, limpia la mesa y la encimera y abre la ventana para ventilar.

—Qué bien lo has hecho —dice Madre desde el sofá. Está reposando la cena; albóndigas y patatas en salsa marrón.

—Ahora voy a hacer los deberes —responde Frank.

Solo tiene unos pocos ejercicios de números bajos. Usa la lista de deseos como marcapáginas. Es un papel que contiene diez letras diferentes. Una lista de todo lo que sus compañeros de clase quieren hacer y tener. Hay más sobre hacer que sobre tener.

Después de descansar, Madre dice:

—Quizá hornee algo. ¿Hay algo que te apetezca?

—Nudos de canela —dice Frank.

Madre no hace nudos grandes y duros como los que venden en la tienda, sino unos pequeños y blanditos que caben enteros en la boca.

Mientras canturrea, Madre estira la masa con el rodillo para formar un gran cuadrado. Frank saca la lista de deseos.

—Tengo algunas propuestas de mi clase —dice—. Algunas están bastante bien.

—Bueno, léemelas en alto —dice Madre.

No está bien que Madre esté de espaldas. Ella misma siempre dice que la gente debe pasar más tiempo junta, cara a cara, y que no hay que estar todo el rato pegado a una pantalla. Lo único que él ve ahora es su nuca, donde se ha recogido el pelo en una especie de nudo.

—Viaje de estudios a Londres —lee.

—Una gran responsabilidad —dice Madre—. ¡Sigue!

—Salto en paracaídas desde un avión para toda la clase.

—No podemos matar a la gente —dice Madre.

—Una pista de eslalon con telesquí y puertas de verdad, una apisonadora de nieve y...

—No hay suficiente nieve —declara Madre.

—... y un cañón de nieve —añade Frank.

—No —protesta Madre.

Espolvorea azúcar y canela sobre la masa.

—Un trampolín de esquí —lee Frank.

—No, no —dice Madre.

—No tiene que ser muy grande. Quizá de unos veinte metros. Y puede ser de plástico. No necesitamos nieve.

—¡Siguiente!

Sería mejor si Madre leyese la lista ella misma. Algunos deseos están escritos con bolígrafo de purpurina y una bonita letra de chica. Frank intenta llenar su voz de purpurina.

—Una playa, de arena clara, increíblemente hermosa.

—¿De dónde vamos a sacar la arena?

—Del Sahara. En barco. Es posible encargarla, ya se ha hecho antes.

—¿Estás loco? ¡Sigue!

Frank suspira.

—¡No puedes negarte a todo!

—Estoy esperando a que surja algo sensato —dice Madre.

Enrolla el gran cuadrado para formar una larga salchicha.

Frank musita el próximo deseo.

—Un campo de golf, con nueve hoyos.

—Pero, Frank, ¡por favor!

—Solo estoy leyendo lo que pone aquí.

—¿Te crees que soy la ministra de Agricultura?

—No, pero...

—¿Tienes más peticiones? —pregunta Madre.

Coge un cuchillo afilado y corta la larga salchicha en trozos pequeños. Después coloca los nudos sobre el papel de hornear.

—Una excavadora. Para Oskar. Para que pueda cavar los hoyos del campo de golf. Es decir, no los hoyos pequeños donde debe ir la pelota, sino los hoyos grandes, donde no va la pelota.

—Se llaman fosos —dice Madre, muy orgullosa de poseer conocimientos sobre el deporte.

—No —dice Frank—. Se llaman búnkeres.

Salen muchos nudos. Primero hay que hornearlos. Después deben reposar un poco y, a continuación, Frank y Madre se comerán todos los que puedan. Finalmente, Frank meterá los que sobren en bolsas, cuatro en cada bolsa, y los pondrá en el congelador.

—Pista de tenis. De tierra batida. Y con una valla alrededor. Y líneas blancas. Y una red tensa.

—Frank —dice Madre.

—¿Sí?

—¿Dónde se va a poner todo esto? ¿Campo de golf, pista de tenis y trampolín de esquí? No tenemos dónde ponerlo.

—Podemos comprar un terreno. Al granjero. El granjero tiene grandes parcelas que solo están ahí —dice Frank.

Madre coge un huevo de la nevera.

—Los terrenos no solo están ahí, Frank. Son pastizales. Para las ovejas.

—Mejor tenis que ovejas —dice Frank.

Enseguida se da cuenta de lo infantil que suena.

—Y eso lo dices tú, que comes salchichón de oveja todos los días —dice Madre.

Casca el huevo en un plato y bate la yema y la clara con un tenedor, rápido, rápido, rápido, para que quede una mezcla espumosa. Frank la mira.

—¿Los pincelas tú después? —pregunta.

—No.

Antes él solía pedir que le dejase usar la brocha de cocina, pero ya es muy mayor para eso.

—¿Hay algo más en tu lista?

Frank mira la lista. Pista de tenis es lo último que pone.

—Sí —dice.

—¿Qué?

—¡Una bomba nuclear!

Madre se vuelve para mirarlo a la cara, pero él le da la espalda.

Por la noche toman nudos de canela en el sofá. Madre también ha preparado chocolate caliente. Intenta buscar algo en la tele, pero solo hay hombres jugando al tenis y mujeres jugando al golf y gente que se tira en paracaídas desde un avión y un programa sobre construir una piscina en tu propio jardín y otro programa de viajes sobre todo lo excitante que se puede hacer y ver en Londres. La gente que aparece en la pantalla está contenta, concentrada y emocionada.

—¿Lo ves? —dice Frank.

Con la boca llena de nudos de canela recién hechos no está permitido estar de mal humor. Pero debe estar permitido preguntar «¿Lo ves?».

—Dios mío —dice Madre.

Cambia de canal una y otra vez y, finalmente, la salva un programa de cocina en el que cuatro mujeres compiten haciendo tartas. Sin embargo, resulta tan aburrido que Madre sigue zapeando hasta dar con un programa sobre las bombas nucleares que se lanzaron sobre Japón en la Segunda Guerra Mundial.

—¿Lo ves? —repite Frank.

Madre suspira. Apaga el televisor.

—Escucha —dice. Mira a Frank.

Frank mira la pantalla negra.

—Si fuese por ti, te gastarías todo el dinero de una vez. ¡Eres como una planta de maceta!

—¿Planta de maceta?

—Pues sí. La planta siempre se estirará hacia la luz, sin pensar que está en una maceta. La flor se inclinará con todo su peso fuera del tiesto, en busca de luz, y enseguida volcará. Hay que estar pendiente de girar la maceta y, a veces, apartarla de la luz. Lo mismo le ocurre a la abuela Anne: es imparable cuando hay chocolate en casa. También te ocurriría a ti, Frank, si te pusiesen doce millones en la mano.

—Yo no uso tiesto —dice Frank.

Es un buen comentario, en su opinión. Es difícil que Madre tenga una respuesta tan buena. Sin embargo, se vuelve a salvar, esta vez porque le suena el móvil. Habla durante un largo rato. Frank no oye quién es. A menudo sabe quién llama solo escuchando lo que dice Madre.

Cuando la conversación acaba, Frank ha vuelto a encender el televisor. En Londres tienen autobuses rojos de dos pisos. Madre permanece con el móvil entre las manos, mirando a las musarañas.

—Era mi primo Åge. Quiere moverse los pelos de la espalda a la cabeza.

—¿Cómo? —pregunta Frank.

—Tiene una calva. Se siente viejo. No se atreverá a hablar con mujeres mientras tenga una calva.

—¿Cómo puede uno moverse el pelo?

—Se llama trasplantar. Cuesta como mínimo cincuenta mil coronas.

—¿Preguntó si se lo podíamos pagar?

—No directamente. Pero si ayudamos a Åge, también tenemos que ayudar a la tía Ofelia.

Frank mira a Madre.

—¿Tenemos una tía que se llama Ofelia?

36

—Tú no. Yo sí. Apenas ve. Necesita una operación de ojos, con láser. Y luego tenemos a la abuela Marie, que está deprimida porque ya no ve el fiordo desde su salón. Lo único que ve son abetos altos. Toma pastillas.

—¿Contra los abetos?

—No. O sí, de alguna manera.

—¿Y funciona?

—Lo dudo. Y puedo continuar así, pasando por toda la familia. No podemos ayudarlos a todos. No podemos ayudar al mundo entero, Frank.

—Ahora todos debéis estar atentos —dice el profesor en cada clase. En primero y segundo el profesor tiene que esperar un rato hasta que todos tengan su pupitre recogido y se hayan sacado el dedo de la nariz y miren hacia delante y estén callados como un cocodrilo—. Tenéis que dejar a Frank tranquilo. Es el mismo Frank que antes. Desde la sala de los profesores parece que es la única flor para cien abejorros.

Para Frank el recreo son las clases.

En la última hora tienen debate. Lo tienen una vez por semana. Van a aprender a debatir. Cada vez hay un tema nuevo y, en esta ocasión, van a hablar de palabrotas. En el recreo se oyen bastantes palabrotas, según los profesores que tienen guardia. Algunos alumnos jamás dicen palabrotas, mientras que otros las dicen a menudo. También ocurre lo mismo con los adultos. Si empieza a llover, por ejemplo, muchos se limitan a decir: «¡Oh, no, está lloviendo otra vez!». Mientras que otros dicen: «¡Mierda, otra vez se pone a llover!». Sobre todo, en los lugares donde se juntan muchos hombres, hay muchas palabras que empiezan por la M.

Nunca dicen «vaya», «ups» o «vaya por Dios». Solo dicen «mierda». Cuando se les escapa el balón por la banda. Cuando resbalan sobre el hielo. Cuando se les acaba la batería del móvil.

Jørgen levanta la mano y dice que, una vez, se encontró con un hombre en el supermercado. El hombre estaba en la frutería y se dijo a sí mismo: «¡Ni de coña voy a pagar cuarenta coronas por unas uvas!».

La clase se ríe a carcajadas.

Resulta raro que un alumno diga «ni de coña» en clase sin que la profesora se enfade. Pero, dice la profesora, si usas una palabra tan fuerte para hablar del precio de las uvas, ¿qué vas a decir el día que ocurra algo serio, como un incendio en tu casa?

No es fácil responder, aunque Denisa lo intenta lo mejor que puede. Los alumnos se ríen por lo bajini cada vez que alguien pronuncia una nueva palabrota.

Sin embargo, por otro lado, dice la profesora, hay gente que jamás dice palabrotas. Y eso, ¿no resulta algo raro? Porque hay algunas situaciones en las que quizá resulte natural soltar alguna palabrota, ¿no?

Sí, afirma la clase. Cuando alguien te da una patada en tus partes. Y cuando te atropella un camión. Entonces debe estar permitido gritar: «¿Qué coño pasa aquí?». Y cuando casi bates un récord en un videojuego. Y cuando te lanzas en bici por un precipicio de trescientos metros de altura. Entonces muchos gritarán: «¡Mierda, este es el fin!». La abuela de Aleksandra, no obstante, se limitaría a agarrarse a la bici y exclamar: «¡Ay, caramba!» o «¡Ave María Purísima!» o «Jamás he visto nada semejante».

Se trata de una costumbre, opina la profesora. Una vez que se empieza a decir palabrotas, es fácil seguir haciéndolo. En la clase de Frank hay tres alumnos que cogen el autobús y cuentan que siempre hay tacos escritos en las marquesinas donde esperan. Si alguien limpia las palabrotas, vuelven a aparecer enseguida. Es una pena, porque también hay alumnos de primero y segundo esperando el autobús que casi no saben leer, y se pasan la espera intentando descifrar un taco tras otro. Lo más bonito que se puede leer es: «¡Caca gratuita, llame al rector!». Las palabrotas no se pueden ver escritas en otros lugares, como en la pizarra, en el supermercado o en el periódico. Si uno no tuviese ningún conocimiento sobre el tema, cabría pensar que es allí, en las marquesinas de autobús, donde habitan las palabrotas. En una pequeña caseta fría y sin puerta.

—¿Y qué pasa con las palabras bonitas? —pregunta la profesora.

Las palabras bonitas, responden los alumnos, habitan en la boca de los novios, en las recetas de tartas, o bien están colgadas, con un clavo, en un marco en la pared.

Hacia el final de la clase hay silencio. La profesora pregunta si les parece bien haber hablado de este asunto. Todos dicen que sí. Algunos con una sonrisa, la mayoría con gesto serio. Bien, dice la profesora. Anota los deberes en la pizarra. Es una tarea para el resto de vuestra vida:

«¡Usad palabrotas con moderación!».

Madre vuelve enfadada del trabajo. Arroja la comida dentro de la nevera. Un paquete de mantequilla acaba boca abajo sin que le importe.

—¿Qué ocurre? —pregunta Frank. Está haciendo los deberes, totalmente inocente.

—¿Alguna vez has leído lo que pone detrás de los paquetes de chicle? —pregunta Madre.

—Pues no.

Madre da vueltas taconeando y mete la bolsa de la compra vacía en un cajón abarrotado de otras bolsas vacías y suelta palabrotas cuando la bolsa intenta salirse de nuevo.

Frank aguarda. Habrá más.

—Estoy en el supermercado, ¿de acuerdo? Me toca pagar. Delante de mí hay una anciana que va a pagar por una bolsa de naranjas.

—¿Y?

—El cajero dice que le falta una corona. La anciana rebusca, pero no encuentra nada. Le falta una corona.

—¿Y esto qué tiene que ver con los chicles? —pregunta Frank.

—Entonces me ven. Tanto el cajero como la señora de las

naranjas. Se dan cuenta de que soy yo la que está ahí. La nueva millonaria. ¿No te puedo dar esa corona mañana?, pregunta la anciana. ¡Pasa por el supermercado todos los días! No, responde el cajero. Entonces no cuadra la caja y ¡la caja tiene que cuadrar!

—¿Y entonces?

—Pues ella saca todos los trastos del bolso, el maquillaje, los rulos y un queso de olor fortísimo. Tanto lío por una corona, se queja. Me mira varias veces, con ojos suplicantes. Finalmente encuentra dos monedas, pero una es de cincuenta céntimos y el cajero no se la quiere aceptar, y la otra es una moneda de Croacia, de unas vacaciones, cuyo valor es superior a una corona, asegura ella. Pero él no acepta monedas extranjeras. Y entonces la anciana empieza a lamentarse diciendo que espera la visita de sus cuatro nietos y que le gustaría darle una naranja a cada uno. A continuación, pide al cajero que las vuelva a pesar y él lo hace, pero sale el mismo precio.

—¿Y luego? —pregunta Frank.

—Luego los dos me miran y dicen al unísono: «¿No tiene usted una corona para una pobrecita miserable?».

—¿Eso han dicho?

—No —dice Madre—. No lo han dicho. Pero lo irradiaban.

—Ah, sí. ¿Y entonces?

Madre gesticula con los brazos.

—¿Tú qué habrías hecho?

Frank reflexiona medio segundo.

—Le habría dado la corona.

—¿Y si le faltasen dos coronas? ¿O diez? ¿O cien? Entonces fue cuando cogí un paquete de chicles y me puse a leer lo que ponía detrás.

—¿Por qué?

—Para no tener que mirarlos a los ojos.

Frank reflexiona.

—Te has vuelto tacaña. Antes no lo eras. Antes le hubieses dado esa corona.

Madre no responde. Se limita a suspirar irritada y entra en el baño para cambiarse de ropa.

—Suspiras más ahora que eres rica de lo que lo hacías antes —le dice Frank a voces cuando se marcha.

—Suspiro todo lo que quiero —le grita ella.

Frank no sabe si grita porque está enfadada o porque está en otra habitación, o por ambas cosas: está enfadada en otra habitación.

Cuando vuelve tiene las mejillas rojas, como si hubiese estado al aire libre durante dos horas en enero, montando en trineo.

—No me mires así tú también.

—Solo era una corona —dice Frank.

—Sí, pero, por Dios, ¿una naranja a cada uno? Como si los niños de hoy en día comiesen naranjas. ¿Acaso tú querías una naranja entera?

Frank niega con la cabeza.

—Entonces ¿cómo ha acabado la cosa?

—Ha tenido que dejar una naranja —responde Madre, y se va al salón, en dirección al sofá.

—¿Qué hay para cenar?

—¡Chicle!

Frank levanta la voz.

—Entonces ¿lo has comprado?

—Sí.

—¿Y cuánto te han costado?

—No lo sé. Veinte tal vez.

—Pero... —dice Frank.

—Es cuestión de principios —le interrumpe Madre.

—Rica y tacaña —murmura Frank, en voz lo suficientemente alta como para que lo oiga—. Los principios de ser rica y tacaña.

Han llegado cartas por correo. Ayer llegó una y hoy dos, cuenta Madre. Después de la cena deja que Frank las lea. No hay chicle para cenar. Hay chicle de postre.

La primera es de un hombre. Ha adjuntado una fotografía de cinco mocosos en un sofá. A simple vista, lo que más deben necesitar son pañuelos de papel. Sin embargo, es un coche. Resulta que esperan al hijo número seis y el coche se les hace pequeño. Necesitan mínimo cien mil coronas para comprarse un coche más grande. Si no, toda la familia no podrá irse de vacaciones junta.

Frank se pregunta cuál será el aspecto de su tendedero cuando se esté secando toda su ropa interior.

En la otra carta pone:

Nuestro hijo está en silla de ruedas y tenemos que reconstruir nuestra casa para que pueda seguir viviendo con nosotros. Si no, tendrá que vivir en una institución con solo gente mayor. Le importaría...

La última carta dice:

Tenemos constancia de que usted tiene un lunar bastante grande en la mejilla derecha. Este tipo de lunares pueden transformarse fácilmente en cáncer. Tenemos una larga experiencia en extirpar lunares peligrosos y podemos realizar esta operación por el módico precio de...

—Cien mil coronas por un coche —dice Frank—. Seguramente cueste menos traer un barco con arena del Sahara.

Madre sale a la terraza sin responder. Es una terraza pequeña, apenas lo suficientemente grande para sacudir una alfombra. Permanece allí bastante rato. Frank la mira. Es una señora rica con la melena al frío viento y una taza de café frío.

—Tendríamos que haber pensado en África —dice Madre tras ver las noticias.

—¿Y eso por qué? —pregunta Frank. Pensar en todo un continente es una tarea bastante grande.

—Piensa en todos los que no lo están pasando bien. Tantos niños sin comida ni agua, sin colegio, sin padres.

Frank está sin campo de golf, sin piscina y sin pista de tenis con máquina de refrescos. Él constituye un minúsculo continente que a nadie le importa. Es el millonario más pobre del mundo. Pero tiene comida y agua y colegio y una madre que no quiere que se convierta en un malcriado. Por lo tanto, intenta imaginarse a un niño famélico y desnudo con moscas en la cara y un cuenco vacío de arroz entre las manos. ¡Qué lástima! Se morirá de hambre o de sed. No obstante, es difícil mantener ese pensamiento. Frank sabe algo más de África. Allí hay pirámides y camellos. Le gustaría trepar a la cima de una pirámide o montarse en un camello, mecerse sobre su lomo a través del desierto, en una larga caravana. Los camellos caminan en caravana de la misma forma que la gente cuando atraviesa un glaciar: en una larga fila. Es extraño, pues el motivo por el que se camina así sobre el glaciar es que alguien puede caerse dentro de una grieta. En el desierto no hay grietas en las que caerse. Sin embargo, los camellos andan en fila. ¿Quizá sea porque lucen mejor en las fotografías caminando de esa manera que si caminasen como una manada caótica? Frank recuerda una vez que hicieron como que atravesaban un glaciar. Fue en segundo. Vino un profesor sustituto que ató a todos los alumnos a una cuerda y les hizo caminar en fila sobre los pupitres.

—¿En qué piensas? —pregunta Madre.

—En un glaciar —responde Frank.

—Se suponía que ibas a pensar en África.

—Lo he intentado.

—¡Inténtalo más!

—No es tan fácil. No conozco el nombre de ningún africano.

—Mandela —dice Madre.

—Está muerto —comenta Frank.

Madre suspira, como si la decepcionase el hecho de que Mandela no se hubiese mantenido vivo más tiempo. Después se coloca la mano en la frente, tal y como se suele hacer para comprobar si se tiene fiebre. No obstante, si se tiene fiebre, es mejor que la mano la ponga una persona que no tiene fiebre.

—¡Rayos! —dice ella finalmente—. No me sé el nombre de ningún africano vivo.

—Yo tampoco —constata Frank—. ¿Qué hay de Asia?

—¿Te refieres a nombres de personas?

—Sí.

—¿De Asia? —pregunta Madre para ganar tiempo.

—Sí.

—Asia es todavía más grande que África. Allí viven varios miles de millones de personas. Por lo tanto, debería ser posible conocer el nombre de al menos uno de ellos.

»Lampoon —recuerda Madre de repente.

—¿Lampoon? ¿Quién es?

—La del sitio de comida para llevar que hay al lado de mi trabajo. Se casó aquí, pero tiene a sus hijos en Tailandia. Hay fotos suyas en la pared de detrás del mostrador. Les envía dinero todos los meses.

—¿Cuánto?

—Eso no lo sé. Esas cosas no se preguntan.

Hay silencio durante un rato. Frank piensa en los rollitos de primavera que a veces Madre compra para llevar. Son muy crujientes. La mayoría de las cosas crujientes saben bien. Las patatas fritas. El pan de gambas. Los tirabeques. Las avellanas. Los ganchitos.

—Quizá traiga *take away* mañana —dice Madre.

—Me parece bien —dice Frank.

Así pueden ayudar a Asia, de manera indirecta.

El profesor más viejo del cole dice lo mismo que Madre, que la juventud es demasiado exigente. Cancha multiusos. Piscina. Pista. Trampolín. Antiguamente hacíamos el trampolín de esquí con nieve, dice. Pero antes había más nieve, replican los niños. Si ahora se junta la nieve para construir un trampolín, no queda nieve para aterrizar. El viejo profesor no quiere oír hablar de eso. Simplemente sigue hablando del hermoso fiordo, donde se puede nadar boca abajo o de espaldas, bucear y remar de ida y vuelta al pueblo vecino. Eso sí que es un buen ejercicio, dice. Es importante remar para entrenar los ligamentos musculares de la espalda. Uno puede trepar a los árboles. Los árboles son gratuitos. Y hay montañas para hacer senderismo, lagos para pescar y bayas para recolectar. Y si todo esto no es suficiente, cada uno tiene su propio cuerpo, que es el mejor aparato de entrenamiento del mundo. Con su propio cuerpo uno puede correr, hacer flexiones subir una escalera a la pata coja o acurrucarse como una pelota y echarse a rodar por una pendiente. No siempre es cierto que lo caro es bueno y lo que es gratis, malo. Uno puede divertirse y emocionarse con un huevo, continúa él. Colocaos a una distancia de dos metros y tiraos el huevo el uno al otro. Aumentad la distancia a cuatro metros, a ocho, a diez. ¡Al aire libre, claro! ¡No en clase!

El veterano profesor afirma que la rayuela que hay en el patio del colegio es una instalación deportiva. Sin embargo, no consiste en nada más que en unos cuadrados blancos dibujados con tiza en el asfalto. En una ocasión, los niños pequeños tenían una piedra bonita y plana para usar en la rayuela, pero entonces Pål se la robó y la usó para jugar a la cabrilla un día en que el agua del fiordo estaba totalmente en calma.

Frank se junta con Denisa y Oskar entre clase y clase. A veces van a mirar a Vegard, de sexto, que practica salto de longitud. Si se descarta la rayuela, el foso de salto de longitud es la única instalación deportiva que hay en el pueblo. Consta de una tabla y un foso con arena. Es preciso tener unas piernas largas para saltar lejos. Denisa y Oskar y Frank las tienen cortas. Vegard tiene unas piernas largas y calcetines que le llegan a las rodillas. Se pasa el día pensando en el salto de longitud. Intenta averiguar con qué fuerza debe atarse los cordones y qué tipo de arena es la mejor para aterrizar. Ha probado con arena de mortero, arena de playa y arena de arenero. Arena para gatos. Arena por aquí y arena por allá. Es una parte fundamental del salto, dice Vegard. Todavía le quedan dos años para la semana de prácticas de secundaria, pero ya ha acordado que va a trabajar en la cantera de arena. Seguramente no podrá vivir del salto de longitud. Casi nadie puede. Pero a lo mejor puede vivir de esparcir arena en las carreteras resbaladizas en invierno. Luego puede hacer salto de longitud en verano.

—¿Ha empezado tu madre a malgastar dinero? —pregunta Oskar mientras Vegard se ata bien los cordones.

—No —dice Frank en voz baja.

—Tienes que insistir —dice Denisa.

—Si insisto —replica Frank.

—Si consigues que malgaste dinero en ella misma, también lo malgastará en nosotros —opina Oskar.

Una niña de séptimo se acerca al foso de salto de longitud. Le dice a Frank que se puede reunir con ella detrás de la caseta de los juguetes dentro de un minuto. Entonces Denisa dice:

—¡Largo de aquí! ¡O te esconde Oskar bajo tierra!

—Conde Oskar —dice la muchacha—. ¿Quién es ese?

En el recreo Frank se encuentra con aquel al que simplemente llaman el Rarito. Está fuera del colegio, en la parada de autobús. Todos los días pregunta a la conductora del autobús:

—¿Vas a Estocolmo?

El Rarito probablemente no sepa que Estocolmo está en otro país, y que debe cambiar de autobús varias veces para llegar hasta allí.

—No —responde la conductora, y cierra la puerta. Ella solo trae y lleva a los niños al colegio.

Al Rarito le gusta hablar con los que pasan por allí. Ahora es Frank quien pasa por allí. Se dispone a cruzar la calle para ir a la tienda.

—¿Cómo te llamas? —le pregunta el Rarito.

Siempre lleva el pelo pegado al cráneo, como si se lo hubiese humedecido para aplastárselo.

—Frank —dice Frank.

—¿Tienes coche?

—No.

—¿Qué marca es?

—No tengo coche —responde Frank.

—¿Mazda?

—No tengo coche. Todavía no soy lo suficientemente mayor.

—Los Mazda son malísimos —dice el Rarito.

Frank entra en la tienda y compra siete lápices de color carne en la sección de papelería. En primero hay siete alumnos. Paga con dinero de su hucha. Es dinero que ha recibido por pasar la aspiradora en casa. Cuando sale de la tienda, recuerda que una de las niñas de primero se llama Fátima. Es morena. Frank se da la vuelta para descambiar un lápiz por otro marrón, pero después se le ocurre que en el colegio seguramente no falten lápices marrones. En el siguiente recreo entrega a cada uno de los alumnos de primero un lápiz de color carne. Lo hace detrás de una esquina, como si se tratase de droga. Fátima le da las gracias y le sonríe tanto como los demás.

Cuando Frank regresa a casa, huele a rollitos de primavera en la cocina. Aun así, Madre está irritada. Se ha marchado del trabajo una hora antes de lo habitual porque no había nada más que hacer. Los manazas ya no son tan torpes como antes. No quieren que ella, que es tan rica, tenga que recoger sus cosas y, por lo tanto, han hecho un esfuerzo por mejorar. A Madre no le gusta esto. Ella quiere ser útil. Para consolarse se ha comprado una cosa, dice. Saca una pequeña bolsa.

—¿Un anillo? —pregunta Frank.

Recuerda lo que dijo Oskar sobre malgastar el dinero y espera que Madre se haya comprado algo caro e inútil.

—No —dice Madre.

—¿Un collar?

—No, no.

De la bolsa extrae un cortaúñas.

—El que teníamos antes cortaba bien —dice Madre—, pero las uñas, es decir, los trozos recortados, solían saltar por todas partes. Había que dar vueltas por la habitación recogiéndolos después. El nuevo cortaúñas guillotina las uñas en vez de recortarlas y los trozos caen en un compartimento. Al acabar de cortar se puede retirar el compartimen-

to para tirar las uñas al váter o a la basura. ¿Quieres probar?
—pregunta Madre.

—No —responde Frank.

—Es totalmente diferente a un cortaúñas normal.

—No puedo invitar a mis compañeros de clase a casa para cortarse las uñas —dice Frank—. ¡Nadie va a querer venir y hacer cola para probar un cortaúñas!

Frank empieza a comprenderlo todo ahora. Es millonario, pero todo el dinero está en una cuenta corriente, y la cuenta corriente está en un banco, y el banco se encuentra atravesando un túnel y un puerto de montaña. Van a seguir viviendo como hasta ahora. Simplemente van a comer rollitos de primavera más a menudo para ayudar a Asia. Hasta que no cumpla dieciocho años no podrá gastarse su parte como le plazca. Pero queda mucho tiempo para eso. Cuando Frank tenga dieciocho será adulto y, seguramente, ya no le apetecerá hacer cosas divertidas. Los que tienen dieciocho años llevan camisetas de color azul marino, sin estampar. Tienen que permanecer solos junto a una barbacoa y saber cuándo hay que darle la vuelta al entrecot. Tienen que afeitarse. En una ocasión Frank vio a un alumno de bachillerato conversando con un profesor. Primero habló el profesor, y el alumno asintió. Después habló el alumno de dieciocho años, y el profesor asintió. En primaria, adonde va Frank, los alumnos pueden hablar perfectamente con un profesor, pero después el profesor niega con la cabeza. Entonces el profesor dice algo, y los alumnos tienen que asentir.

Cuando Frank tenga dieciocho, seguramente se comprará un coche demasiado caro y conducirá de aquí para allá con la música a tope y comerá perritos calientes con queso. Es ahora cuando necesita el dinero, para aprender a nadar de espaldas, meter un disco de hockey sobre hielo en la portería, entrenar el equilibrio en una pista de eslalon, hacer orientación en el bosque y encontrar los controles. Los adultos siempre quieren tener el control.

Alguien llama a la puerta mientras comen comida de Asia. Madre sale a abrir. Frank deja de masticar un rollito de primavera para poder oír lo que dice Madre allí fuera. Madre dice «¿sí?» y «¿de veras?» y «¿cuenta como qué?» y «¿cómo?» y «no» y «¡vaya, me parece caro!» y «je, je» y «no, gracias» y «no, no, no». Entonces regresa. Gesticula con las manos.

—Era una mujer —me cuenta—. Solo quería dejar claro que el mundo está a punto de acabarse. El día que esto ocurra los seres humanos serán divididos en tres grupos. Los afortunados serán quemados en la hoguera. Los desafortunados serán comidos vivos por animales salvajes. Solamente se librará un tercer grupo. En un pequeño aeropuerto de Suiza, en la parte alta de un valle, hay un avión preparado en el que caben cuarenta y cuatro personas. Justo antes del fin del mundo, el avión despegará y volará dentro de una luz blanca, a un paraíso.

La mujer había enseñado a Madre una foto del avión y un fragmento de la Biblia que respaldaba lo que ella decía. Todavía quedaban dos plazas libres en aquel avión, por lo que, si Madre y Frank aspiraban a la vida eterna, la mujer podría organizarlo. Los billetes eran algo más caros que en los vuelos normales. Costaban doce millones por persona. A Madre le pareció un poco caro, dijo a la mujer, sobre todo considerando que solo se trataba de un billete de ida. Entonces la mujer había respondido que, en la parte delantera, quedaban dos asientos de espaldas a la cabina, es decir, en sentido contrario, y que resultaban algo más económicos. Solo costaba diez millones. La mujer llevaba los billetes consigo, tanto los caros como los baratos.

Madre se toma una pausa en el relato y se sirve ensalada. Come más ensalada que rollitos de primavera.

—¿Y entonces? —pregunta Frank.

—¿Y entonces? ¿Debería haber algo más?

—¿Qué le has respondido?

—¿Tú qué crees? He declinado la oferta. Pero se me ha olvidado preguntarte a ti. ¿Quieres comprarte una vida eterna?

Frank mira por la ventana. Observa el tejado de la residencia de ancianos. Allí viven personas de más de noventa años. Tienen la espalda encorvada y la piel arrugada. No hacen nada. Cuando hace frío, se ponen al sol. Cuando hace calor, se ponen a la sombra.

—¿Y si es verdad?

—Yo creo que no lo es.

Van cayendo migajas en el plato mientras comen. Es difícil comer rollitos de primavera sin manchar.

—Pero ¿crees que ella misma se lo cree?

—No. Es una estafadora. Vive de engañar a gente ingenua.

—¿Y qué pasa con el avión?

—Seguramente es un avión normal del que ella ha sacado una foto. O lo ha encontrado en Internet.

Madre come arándanos de un cuenco en el centro de la mesa. Se supone que son el postre, pero Madre se los come al mismo tiempo que la cena.

—¿Quieres? —dice, y le acerca el cuenco unos centímetros.

Frank niega con la cabeza.

—Son sanos —dice—. Te proporcionan una mejor visión nocturna.

—Yo duermo por la noche —dice Frank.

Madre come arándanos como si tuviese planes de quedarse fuera dando vueltas toda la noche.

Entonces suena su móvil.

—Tía Ofelia —dice Madre, y suspira pesadamente antes de contestar.

Mientras Madre habla por teléfono, Frank lee una nueva carta que ha llegado por correo. Dice:

Nuestra hija quiere estudiar chino en Australia, pero es ciega y muda y, además, tiene miedo a volar y probablemente sea alérgica a los marsupiales. Pero, bueno, es lo que ella quiere hacer y es importante apoyar a los hijos. Por lo tanto, estaría muy bien si nos pudiese ayudar un poco con...

A la tía Ofelia le han hecho una buena oferta para someterse a una operación con láser. Cuesta veinticinco mil por el primer ojo. Y después solo veinte mil por el segundo.

—No podemos seguir así —se lamenta Madre.

—Es igual de caro que un viaje de estudios a Londres —dice Frank.

—Me voy a volver loca —dice Madre.

Unos días más tarde hay un periódico fuera, en el recreo. Debe de venir de la sala de profesores. Tu madre, dice Oskar. No hace falta que Frank se desplace. El periódico viene de camino hacia él. Se lo prestan, seguramente porque los alumnos mayores piensan que él puede responder a algo. Madre sale en el periódico, en la portada y en dos páginas enteras dentro. Regala un buenillón, dice el titular de la portada. Dentro del periódico hay una foto grande de mamá en su trabajo, en la residencia para manazas, donde limpia una mesa con un pequeño trapo. Dejar limpia la mesa significa ganarlo todo. Por ejemplo, en el póker. No tiene nada que ver con la limpieza. Frank intenta leer todo el artículo rápidamente. Hay dos noticias. En primer lugar, se dice que mamá ha ganado una fortuna. Eso ya lo sabe. En segundo lugar, se dice que quiere regalar un millón. Eso es nuevo. Ha decidido regalar un millón a una persona del pueblo que haga algo especialmente bondadoso. Seguramente sea el periódico el que se ha inventado la palabra «buenillón». Ella no necesita tanto dinero, explica Madre. Solo tiene un hijo que come salchichón de oveja y lleva los mismos zapatos todos los días. Por lo tanto, puede compartir. De esa manera quiere inducir a la gente a hacer algo bondadoso y, de paso, hacer que el pueblo sea un lugar mejor para vivir.

¿Qué debe hacer la gente para ganar?, pregunta el periódico. Madre ha contestado con solo una frase: «El buenillón será para alguien del pueblo que sea amable o haga algo bueno por los demás».

Los alumnos se reúnen en dos corros. Uno alrededor del periódico, el otro alrededor de Frank. Está rodeado de puntas de zapato y de nariz. De cada boca salen preguntas impacientes.

—¿Pueden ganar los niños o es solo para adultos?

—¿Cómo sabrá tu madre que he sido bueno?

—¿Se lo vas a chivar?

—¿Qué le gusta a tu madre?

Le hacen tantas preguntas que Frank solo puede responder unas pocas.

—Mayonesa —dice.

—¿No son las reglas un poco difusas? —pregunta una niña.

—Yo suelo llevar el periódico del vecino. ¿Crees que eso será suficiente?

—Depende de adónde lleves el periódico —responde Frank.

Hay una niña pequeña, aplastada entre dos más grandes, que lo mira y le pregunta:

—¿Tú puedes ganar?

Se produce un silencio. Un pajarito pía en un árbol grande muy alejado. Frank abre la boca, pero no le sale ninguna palabra.

—No —interrumpe una voz. Es la de Pål—. Su madre no puede decir: «Y el ganador es... mi hijo, mi pequeño tesoro Frank». ¿Verdad que no lo puede hacer?

No, no lo puede hacer. No puede.

Frank es el único que no puede ganar.

—Escuchad —dicen los profesores en cada clase—. El dinero no lo es todo, pero no hace daño ser amable. Quizá podamos debatirlo. ¿Cuándo se es bueno? ¿Qué significa ser bondadoso?

En primero los alumnos responden:
—No quedarse lloriqueando debajo de la mesa.
—Hablar alto y claro cuando el abuelo viene de visita.
—Prestar la goma de borrar a los que no tienen.

En segundo responden:
—Ayudar a abrir la tartera a un alumno de primaria.
—Sacar un clavo de la zarpa de un león.
—No estar cotorreando en clase sin levantar la mano.

En tercero:
—No coger el trozo de tarta más grande.
—No tener envidia cuando es el cumpleaños de los demás.
—Escribir una carta a la tía que trabaja en una plataforma en el Mar del Norte, con un dibujo que pueda colgar en la pared.

En cuarto:

—No acercarse al lugar donde los pájaros ponen huevos en primavera.

—Poner la lata de caballa en tomate sobre un plato para no manchar la mesa.

—Cuidar de la cobaya del vecino en vacaciones.

En quinto:

—Reciclar la basura como se debe, lo orgánico en lo orgánico y el plástico en el plástico.

—Echar los calcetines usados en la cesta de la ropa sucia y no dejarlos tirados por toda la casa.

—Usar el jersey que te ha regalado la abuela cuando la abuela viene de visita.

En sexto:

—Saludar al rival cuando acaba el partido.

—Preparar gofres y recolectar dinero para los países pobres.

—No colarse en la cola del supermercado. Dejar pasar a los que solo llevan un plátano.

En séptimo:

—No cortar el césped cuando el vecino va a echarse la siesta.

—Pagar con monedas en la tienda para que no se queden sin cambio.

—Decirle a la gente fea que lleva unos zapatos bonitos.

—Bien —dicen los profesores en todas las aulas—. Los deberes para mañana son hacer algo bondadoso, hacer algo bueno por los demás, y así podemos comentarlo.

—Yo soy el único que no puede ganar —dice Frank—. Pero se nos puede ocurrir una idea juntos, una idea bondadosa, y así podemos ganar y compartir el buenillón.

Van a la cafetería para compartir un refresco. Justo detrás de ellos van dos niños pequeños con la esperanza de que caiga alguna moneda de los bolsillos de Frank. Sin embargo, hoy es Denisa la que tiene dinero y a quien le toca invitar.

—Entiendo cómo debe de ser para ti —dice ella—. Eres millonario y, sin embargo, estás sin blanca. Es como tener un novio al que no puedes besar.

—¿Y tú qué sabes de eso? —pregunta Oskar.

—El año pasado estuve en Suecia de vacaciones y allí conocí a un tipo llamado Jonas.

—De eso no nos has contado nada.

—Llevaba ortodoncia y, cuando sugerí que nos besáramos, sonrió tanto que se le enganchó el bigote a los bráquets.

—¿Bigote? —grita Oskar—. ¿Cuántos años tenía en realidad? —Abre la puerta y entra el primero en el restaurante. Frank sostiene la puerta para Denisa.

—Trece. Bueno, bigote lo que se dice bigote... En cualquier caso, tenía unos pelillos largos sobre el labio que se le engancharon a la ortodoncia. No conseguía soltárselos. Intenté ayudarlo. Tenía que sonreír para que no le hiciese daño. Luego empezó a llorar. Tuvo que ir corriendo a ver a su madre para que le cortase los pelillos. Después de eso se quedó en su caravana y no quiso salir.

Frank y Oskar se ríen. Denisa no se ríe.

—Estuve tan cerca —dice Denisa, y gesticula con los dedos un poco separados. Tal vez pretenda representar la longitud de los pelillos del bigote de Jonas.

—Tan cerca —murmura Frank para sus adentros—. Tan cerca de ser millonario.

Denisa compra un refresco. Frank va a buscar tres vasos. Oskar coge un puñado de servilletas. Solo hay cinco metros desde el mostrador hasta la mesa. No obstante, Denisa ha agitado tanto la botella que su contenido se desparrama cuando desenrosca el tapón.

Oskar le entrega las servilletas sin decir nada.

—Tenemos que hablar del buenillón —dice Frank.

Oskar saca una revista de su mochila. Otras personas compran revistas con recetas de comida, crucigramas, o coches, o mujeres con ropa bonita, o mujeres sin ropa. En la de Oskar hay fotografías de excavadoras pequeñas. Cada mes recibe una nueva por correo. La hojea mientras Denisa espera a que la botella deje de burbujear.

—A lo mejor te secuestran —comenta ella, sin venir a cuento.

—¿Cómo? —dice Frank.

—Ocurre a menudo con los hijos de la gente rica. ¿Oíste las noticias ayer? ¿Sobre la niña en Alemania?

—Pues no.

—La hija de un ricachón. La secuestraron. El padre se negó a pagar el rescate. Y una mañana la encontraron fuera, en la puerta, en una bolsa.

—En dos —la corrige Oskar, y levanta la mirada de la revista.

Frank mira a su alrededor. En una mesa hay sentada una mujer grande con un pequeño bolso. En otra, hay un anciano tomándose una tortilla. Ambos parecen inofensivos. Detrás del mostrador está la mujer que regenta la cafetería. Limpia la encimera con un trapo. Después lava el trapo.

Denisa reparte el refresco en tres vasos. Frank toma un trago del suyo y lo vuelve a poner en la mesa con un golpe. Un punto.

—Oskar —dice—. ¿Qué es lo más bondadoso que has hecho?

—Lo más bondadoso —dice Oskar. Lo repite varias veces, como si fuese una palabra inglesa cuyo significado intentara recordar. Bebe del vaso hasta dejarlo por la mitad—. Una vez, en el muelle, salvé a Aleksandra de que se ahogase.

—Eh... nosotros estábamos allí —dice Denisa—. Tú la empujaste.

—Le lancé una cuerda —dice Oskar.

—Sí, pero no sujetaste el otro extremo. Tiraste toda la cuerda —dice Frank.

Oskar arruga la frente y vacía su vaso.

—Temía que me fuese a arrastrar con ella.

—¿Y tú, Denisa?

Denisa se muerde el labio mientras reflexiona.

—Yo doy regalos en Navidad.

—Sí, pero seguramente es tu madre la que los compra, ¿no?

—Síií.

—¿Y es tu madre la que busca los regalos?

—Sí.

—¿Tú no haces nada?

—Yo pongo mi nombre en la etiqueta.

—Si yo fuese tu madre, no me arriesgaría —dice Oskar—. Siempre confundes las letras *d* y *p* y *b*.

—¿Y qué?

—No te lo he dicho antes, pero la primera vez que viniste a mi cumpleaños, habías escrito tu nombre en la etiqueta.

64

Habías empezado con letras demasiado grandes que luego iban disminuyendo, y no te cupieron las últimas. No habías aprendido a escribir la *d*. Ponía: «Para Oskar. De Penis».

Frank y Oskar se ríen. Denisa se sonroja.

—¡No es verdad!

—Pensé que habías envuelto una botella con pis.

Oskar habla bastante alto. Está acostumbrado a dar voces, ya que a menudo charla con gente cerca de excavadoras en funcionamiento.

—Estamos en una cafetería —les riñe una voz estricta. Es la mujer de detrás del mostrador. Ha oído dos palabras que empiezan por la *p*.

La mujer del bolso y el hombre de la tortilla también parecen irritados. ¡Están comiendo! Al mismo tiempo Denisa también se sobresalta porque Oskar coge su vaso y se lo acaba de un trago.

—¡Oye! —grita Denisa.

—¡Ups! Me he equivocado —dice Oskar mirando el vaso vacío.

—¿Te has equivocado? ¡Si acabas de terminarte el tuyo!

—Estaban tan cerca. ¡Perdón!

—Estaban cerca para que tuvieses sitio para tu estúpida revista.

—No gritéis así —dice Frank.

—Encima he sido yo la que ha pagado —vocea Denisa.

Oskar coloca el vaso vacío sobre la mesa. No dice nada. Intenta esperar a que se le pase; es casi como esperar a que una botella acabe de burbujear. Sin embargo, a Denisa no se le pasa.

—Era mi dinero, mío. Eran mi vaso y mi refresco.

—Te ha pedido perdón —dice Frank frustrado—. ¿Qué más quieres que haga? ¿Que se clave un tenedor en la cara?

La señora de detrás del mostrador carraspea y dice:

—¡Esto es una cafetería!

—Creo que nos vamos a quedar con las ganas en cuanto al buenillón —suspira Frank.

Cuando pasan por delante del mostrador, la señora está escribiendo nuevos precios en la pizarra del menú. Todo será más caro. Para compensar dibuja una carita sonriente. Sin embargo, la sonrisa le queda demasiado codiciosa y, por lo tanto, la borra y lo vuelve a intentar.

De camino a casa, Frank pasa por delante de la residencia de ancianos. Una anciana está sentada fuera, en un banco, con un andador al lado.

—¿Eres el hijo de tu madre? —vocea.

—Sí —responde Frank.

—¡Ven aquí!

Frank se acerca a ella. Tiene el cabello completamente blanco y unas gruesas pantorrillas envueltas en unos leotardos.

—¡Este es para ti!

Saca algo blanco y pequeño, elaborado con hilo.

—Es un tapete hecho a ganchillo —explica.

—¿Ah, sí? —dice Frank—. ¿Lo ha tejido usted?

—A ganchillo, como ya he dicho. Se puede poner debajo de las velas o los floreros, o simplemente encima de la mesa.

—Ajá —responde Frank sin mucho entusiasmo.

—Una mesa sin mantel está desnuda —continúa ella—. Antes había manteles bonitos en todas las mesas. Y cuadros en las paredes, con marcos llenos de volutas. Traían armonía a las habitaciones.

Frank mira el tapete. Está lleno de agujeros.

—Pero hoy en día la gente quiere cuadros sin marco. No quieren que nada tenga adornos. ¡Solo mira a las chicas! Antes se rizaban el pelo. Ahora se lo alisan. Todo tiene que ser simétrico y grande y hueco, y así acaban también los seres humanos: grandes y huecos.

—Hum —dice Frank. Se mete el tapete en el bolsillo y le da las gracias.

—No puedes simplemente metértelo arrebujado en el bolsillo —comenta la anciana—. No es un pañuelo. En la vida... —dice. Etcétera.

Frank vuelve a casa y entra en la cocina, donde permanece en el centro con los brazos extendidos a cada costado.

—No puedes regalar un millón así por las buenas —dice—. ¡Cuando a mí no me das ni para pipas!

Madre está sentada con un pie sobre el otro. Bebe de una taza. El periódico está en la mesa, con mayúsculas. Mayúsculas y números altos.

—Cuando tienes mucho... —dice Madre— es de buenos modales compartir. Si por ejemplo es tu cumpleaños y te regalan una enorme bolsa de golosinas, la compartes con tus invitados. Lo echas todo en un bol y lo pasas alrededor de la mesa. No te sientas en un rincón y te las zampas solo, ¿verdad?

Frank no responde. Hay una bolsa de nudos de canela en la encimera de la cocina. Madre la ha sacado del congelador. Van a compartirla. Hay dos para cada uno.

—Estás de acuerdo en eso, ¿no?

—Sí —responde Frank—. Cuando lo dices así.

—Lo digo así porque es así —dice Madre—. No hay otra manera de decirlo.

Toma un sorbo de la taza y mira por la ventana.

—Además, creo que a partir de ahora habrá menos demandas. ¿No crees?

—No lo sé —responde Frank. No sabe a qué demandas

se refiere, si a las que tiene él o a las de los demás. Saca el tapete de ganchillo. Prueba a colocarlo en la mesa de la cocina para que la habitación se vuelva armónica.

Ha llovido toda la noche. Pål tiene un charco enorme en el que meterse. Escupe a los niños que pasan por delante. Parece como si el charco le atravesase el cuerpo, entrándole por los pies y siendo expulsado en forma de saliva.

—Frank Choripán. Venke Viuda enclenque. Emma Cara-flema.

Sin embargo, a Emma le da igual. Se limita a decir «qué» y sigue caminando, dejando que Pål continúe haciendo de las suyas.

Cuando llega el pequeño Bjørge, a Pål no se le ocurre nada. Eso es bueno para Bjørge, piensa Bjørge. Pero Pål no quiere que nadie se libre. Por ello ha robado una esponja del cuarto de material escolar. La empapa en el charco. Le cabe prácticamente todo el charco en esa esponja, y se la tira a Bjørge. No le da en toda la cara, que seguramente es lo que pretende, solo en la parte superior del brazo, con un sonoro y húmedo chof. Sin embargo, a Bjørge le parece tan doloroso que empieza a llorar. No quiere entrar en el aula para la primera clase. Solo quiere lavar su chaqueta, aunque un asistente ya la ha limpiado con un trapo húmedo.

—Pål es malvado —dice Bjørge.

—Tiene algo por dentro que tú no tienes —dice el asistente.

—Mierda —dice Bjørge.

—Es una pena que haga estas cosas. Solo será peor para él.

El asistente saca un trozo de papel del dispensador que hay en la pared. Bjørge se suena la nariz con el papel.

—Lo hace a propósito —dice Bjørge. Unas lágrimas caen sobre el papel. No tiene sentido apartar el papel de su cara. Le salen lágrimas por los ojos, la nariz y la boca.

—Me vengaré —lloriquea Bjørge.

—No, no lo harás.

—Sí, lo haré. Le gritaré algo feo. Lo hablamos ayer, Ida y papá y yo.

—¿Ah, sí?

Bjørge tira el papel en la papelera. No llega al dispensador de la pared. El asistente tiene que arrancarle otro trozo.

—Papá dice que Pål no es más que un tonto en un charco. Que es un bocazas. Más o menos como el trol de debajo del puente.

—Eso también lo creo yo —dice el asistente—. ¿Te encuentras ya un poco mejor?

—No —responde Bjørge—. Pero este papel no se pondrá tan húmedo como el primero. Y luego papá nos ayudó a buscar una palabra que podamos gritarle como respuesta.

—¡Vaya!

—A mí solo se me ocurrió «Pål es el mal», pero no es lo suficientemente feo. Y a Ida solo se le ocurrió «Pål tiene un aliento fatal», pero es demasiado largo y tampoco es lo suficientemente feo.

—Es más que suficientemente feo, si quieres saber mi opinión —dice el asistente. Le frota la espalda a Bjørge con una mano. Frotarle la mano a alguien hacia arriba y hacia abajo es como usar la goma de borrar cuando uno se equivoca. Bjørge tira el papel en la papelera. Escupe en el lavabo y contempla cómo el escupitajo va escurriéndose lentamente hacia el desagüe.

—Pero luego papá reflexionó, durante diez segundos, o tal vez solo cinco. Y entonces dijo que, si Pål vuelve a gritar «Ida Malnacida», otra vez, Ida debe responderle gritando a todo pulmón para que lo oiga todo el colegio.

—¿Gritar el qué? —pregunta el asistente.

Abre el grifo para que Bjørge no siga mirando el trayecto de su escupitajo.

—Algo feo —responde Bjørge con los dientes apretados.

—No tienes permiso para hacer eso. Yo no te lo doy —dice el asistente.

—Eso no lo decides tú. Solo eres un asistente —comenta Bjørge—. Lo voy a hacer ahora mismo —añade en voz alta. Entonces echa a correr por el pasillo. Ahora que sus lágrimas están a salvo en un pañuelo en la papelera, es más valiente.

El asistente intenta detenerlo llamándole a voces: «¡Bjørge!». Sin embargo, Bjørge sabe muy bien dónde está el aula de Pål. Las enormes botas de agua de Pål son las que están más cerca de la puerta y se yerguen por encima de las zapatillas al uso de los demás. Bjørge llega hasta la puerta, se estira hacia el pomo y la abre con fuerza, haciendo que se estrelle contra la pared.

Todos los alumnos del aula se sobresaltan y miran hacia el vano de la puerta. Se extiende un silencio absoluto. Bjørge coge aire y grita con todas sus fuerzas:

—¡PÅL OJETE CON SAL! ¡PÅL OJETE CON SAL!

En el aula de Frank hay más tranquilidad. En la última clase todos deben contar lo buenos que han sido el día anterior. La primera en hablar es Sofie. Es bastante pequeña, pero muy entusiasta. Sus pies se balancean por debajo del pupitre cuando habla.

—Fui a ver a mi bisabuela a la residencia de ancianos. Ha sido la primera vez que he ido sola. Llevé un periódico con un cuestionario de diez preguntas y un crucigrama. Solo respondió correctamente a dos preguntas y se puso un poco triste, pero hizo muy bien el crucigrama. Ella señalaba y yo lo rellenaba con mayúsculas. Me contó que su hermana, cuyo nombre era algo que empezaba por M, pero que ahora está muerta, hacía caligrafía en los crucigramas. Escribía de forma que las letras quedaban unidas por largos trazos. Yo también lo intenté hacer, pero parecía la letra de una araña, me dijo la bisabuela. Cuando me fui, me agradeció la visita y me dijo que le gustaría que volviese otro día.

—Muy bien —dice la profesora—. ¿Fue divertido?

—Hum, sí.

—¿Pensaste, mientras estabas allí o después, que hubieses preferido hacer otra cosa?

—No.

—¿Cuánto tiempo te quedaste?

—Una hora, quizá.

—¿Te sentiste buena persona mientras estabas allí?

Sofie se queda pensativa.

—Sí y no. Al principio pensé: «Qué buena soy viniendo aquí y haciéndole preguntas a la bisabuela para que no se aburra». Pero cuando estábamos haciendo el crucigrama juntas, ya no pensé que fuese buena.

La profesora parece intentar encontrar una última pregunta, algo que pueda resumirlo todo:

—¿Has aprendido algo de esto?

Sofie vuelve a reflexionar, mordisquea un lápiz y balancea los pies.

—Tengo que hablar lentamente y de manera muy clara para que ella me entienda. Si no solo dice «¿eh?».

Todos pueden compartir sus historias por turnos. Jørgen ha ordenado el especiero alfabéticamente. Edel ha comprado un nuevo collar a su perrita y le ha regalado el viejo a una niña vecina que a lo mejor va a tener perro. A Frank no le preguntan. Al final solo queda Denisa. Suele ser la primera, pero hoy la profesora tiene que sacarle las palabras.

—Yo pensé en hacer reír a carcajadas a la gente. Por lo tanto, quería ir casa por casa contando un chiste —murmura.

—Buena idea —dice la profesora.

—Llamé al timbre de en una casa. Pero no abrió nadie.

—No se dice «al timbre de en una casa» —murmura Edel, lo suficientemente alto como para que todos lo oigan.

—Ya, ya —susurra la profesora.

—Se dice «llamé al timbre de una casa», no «llamé al timbre de en una casa» —dice Edel.

—Es posible —dice la profesora.

—¿Es posible? —pregunta Edel—. O bien se dice...

—¡LLAMÉ AL TIMBRE! —grita Denisa—. ¡EN UNA CASA!

La profesora detiene a Edel con una mirada estricta y un dedo levantado. Denisa puede continuar.

—No abrió nadie. Volví a llamar al timbre manteniendo pulsado el botón, pero después este no volvió a sobresalir otra vez. Se había atascado. Sonaba sin parar. No sabía que un botón podía sonar tanto.

—Se llama botón de timbre, ¿qué esperabas? —dice Edel.

—Sonaba como veinte ovejas con cencerro rodando por una pendiente. Entonces se abrió la puerta y salieron todos los habitantes de la casa. Me preguntaron que qué diablos estaba haciendo. No supe qué decir. Solo señalé el botón con el dedo con el que había llamado.

—El dedo índice —murmura Edel.

—Y debieron de olvidar que tenían la comida puesta en el fuego, hirviendo, y se salió y empezó a sonar el detector de humo, que debía estar conectado en serie, ya que empezaron a sonar todos los detectores de la casa, como si fueran un coro, y entonces se despertó un niño pequeño y empezó a llorar a moco tendido. Fue una mierda.

—Denisa —dice la profesora.

—Perdón.

Uno tras otro los alumnos han empezado a reírse.

—Sí que tienes mala suerte —dice la profesora.

—Sí —dice Denisa—. Cuando todo se calmó, excepto el niño que lloraba, y empecé a contar mi chiste, el hombre de la casa comprendió que solo iba a contar un chiste y entonces pareció que le hervía la sangre también, como la cena. Largo, dijo. Así que me fui. No obstante, fue detrás de mí, en calcetines, hasta pasar el buzón.

La profesora es la que menos se ríe del relato de Denisa. No es hasta más tarde, tal vez a los cinco minutos, cuando está de espaldas escribiendo algo en la pizarra, que sus hombros empiezan a sacudirse. Las letras salen torcidas de su tiza. Se ríe como una bruja sobre un caldero. Tira de uno de los mapas que cuelgan delante de la pizarra para bajarlo, se esconde tras él y explota en carcajadas. Es un mapamundi. Parece que el mundo entero se ría a carcajadas. A uno le entran ganas de tener una hora doble de geografía.

—¿Qué ocurre? —pregunta Denisa.

Frank cree que la profesora se ha dado cuenta de qué casa se trata; quizá conozca al hombre furioso.

—A menudo se te pone roja la cara cuando estás con nosotros —dice Sofie cuando la profesora aparece de nuevo.

—Perdón —dice la profesora.

Una anciana a la que simplemente llaman la Tronca recoge basura en la cuneta que hay situada al lado del colegio. Hay mucha porquería allí, pues muchos tiran todo tipo de objetos por la ventana del coche en vez de llevárselos a casa. Lo que hace está muy bien. Sin embargo, resulta algo extraño que la Tronca lleve dos días seguidos recogiendo basura justo cuando Madre pasa por ahí volviendo del trabajo, en algún momento entre las dos y media y las tres.

Hay muchos que se merecen un buenillón. La directora del colegio es bastante amable. Aunque no es profesora, a veces entra en las clases de lengua noruega para ayudar a Denisa a leer. Intenta enseñarle la diferencia entre las letras *b* y *p* y *d*. A Denisa le parece que son idénticas. Tan idénticas como las ovejas, dice. Todas las ovejas son blancas y comen hierba. Por lo tanto, la directora y Denisa se pasan una clase de lengua estudiando las ovejas del granjero. Rolf, el granjero, se toma el día libre en el trabajo. Señala y va nombrando a cada una. Después, Denisa se sabe el nombre de todas las ovejas y quiere contarlo a toda costa. La oveja Petra, por ejemplo, tiene una postura especial, está tiesa como si estuviese vigilante. Samuline menea la cabeza como para espantar a las moscas, incluso cuando no hay moscas. Umbrella muge como una vaca cuando hace caca. El granjero creyó durante una temporada que tenía una infección en el trasero, pero no es así. Simplemente le gusta mugir cuando caga. En solo una hora Denisa ha aprendido a diferenciar a todas las ovejas. No obstante, al día siguiente, en el colegio, le sigue pareciendo que *b* y *p* y *d* son totalmente idénticas.

La hermana pequeña de Vegard podría ganar. Vegard practica el salto de longitud. Junto al foso está su hermana pequeña, con una cinta de medir y un cepillo. Cuando lleva una camiseta negra parece una brujita. Primero mide la longitud del salto de su hermano. Luego barre la arena otra vez hacia el foso. Se trata de una arena especial, por lo que Vegard insiste en que ella la recoja toda. Es afortunado de tener una hermana así. Pero también tiene un hermano, uno pequeño, y Vegard quiere que este hermano se siente junto a la línea con una bandera roja y otra blanca, justo como en la tele. Cuando es el Campeonato Mundial o los Juegos Olímpicos, siempre hay un señor mayor con sombrero junto a la tabla de batida. Debe levantar una bandera roja si el pie sobrepasa la línea de batida de la tabla, y una bandera blanca si todo está bien. No es muy difícil. No obstante, su hermano no quiere hacerlo. Solo lo ha hecho una vez, el día siguiente al 17 de mayo, con una bandera noruega, pero la agitaba todo el rato, por lo que todo acabó siendo un lío.

Frank y Oskar visitan a Denisa en su casita de juguete. Son demasiado mayores para estar en una casita de juguete, pero Denisa se ha traído la escopeta de perdigones y todavía queda media hora para que sus padres regresen a casa. Es el padre de Denisa el que le ha enseñado a disparar. Al principio solo disparaba a una diana colgada en una pared. Después descubrió que era mucho más divertido disparar a dianas que se mueven y dicen «uiuiui» cuando uno les da en el trasero.

Lo bueno de las escopetas de aire comprimido es que son prácticamente insonoras. Lo malo es que tardan mucho en cargar. Cargar y apuntar. Solo se pueden disparar tres o cuatro perdigones por minuto. Las gaviotas a las que disparan son pájaros muy glotones. Solo emplean un par de minutos en zamparse un montón de patatas y pan viejos en la orilla.

Denisa apoya el cañón sobre el alféizar de la ventana y apunta con la lengua torcida. Cuando un perdigón alcanza a una gaviota, esta se sobresalta y grazna ruidosamente y ataca a la gaviota que tiene al lado. Cree que es la otra gaviota la que la ha picoteado en el trasero. Frank y Denisa y Oskar se alternan para disparar. No saben si el perdigón rebota o si se hinca en la carne. No saben cuánto duele un perdigón. A las gaviotas parece que les duela algo todo el tiempo, también sin un perdigón en el culo, por lo que no es fácil saberlo.

Es gracioso ver cómo se enfadan las gaviotas unas con otras. A la persona que dispara no se le permite perder el tiempo entre risas. Debe concentrarse. Solo los que no están disparando pueden reírse.

Poco a poco las aves empiezan a sospechar. Seguramente oyen las carcajadas que salen de la casita y, cuando ya no queda comida, alzan nuevamente al vuelo.

Una gaviota se choca con la pared de un cobertizo de botes y cae al suelo con un ¡cataplún! Grazna un par de veces con desesperación antes de echarse a volar de nuevo, zigzagueando tras las otras.

—¡Ups! —dice Oskar, que fue el último en disparar.

—Parece bastante herida —dice Frank.

—Los pájaros tienen los ojos en los laterales de la cabeza —razona Denisa en voz alta—. ¿Es posible que el perdigón le entrase por un ojo y le saliese por el otro?

Le coge la escopeta a Oskar y sopla fuerte en la boca del cañón, como si fuese una pistola humeante de una película del oeste. Frank también suele soplar así, aunque solo en el lápiz, después de sacarle punta.

Denisa entra corriendo a casa con la escopeta para colocarla en su sitio antes de que regresen sus padres.

—Imagínate que hayamos cegado a la gaviota —dice Oskar cuando se marchan de allí.

—Sí —dice Frank—. ¿Cómo conseguirá encontrar comida?

—Yo me rindo en cuanto al buenillón —dice Oskar.

—A lo mejor tiene que irse a vivir cerca del vertedero para mantenerse con vida —dice Frank.

No hay cartas en el buzón de Madre y Frank, sino uvas crespas. Las ha dejado una vecina. En su jardín crecen uvas crespas blancas. Hace mermelada con ellas. Llena diez tarritos y los cierra con tapas de cuadritos azules y les pega pequeñas etiquetas. Alrededor les pone un lazo, y los mete en los buzones de los vecinos. Frank y Madre pueden untarla en el pan, o en los gofres. Quizá piensen: «Esa mujer sí que es buena persona. Imagina todo el trabajo que ha tenido que hacer. Recolectar, lavar, cocer, azucarar. Y simplemente lo regala. ¿Debería ganar el buenillón?».

Ahora hay muchas buenas personas en el pueblo.

Dos señoras que son mayores, pero aun así muy ágiles, pintan las astas de las banderas. ¿Cómo se habrán subido hasta ahí?, piensa Frank cuando se entera. Por supuesto, lo que hacen es tumbarlas. Un día están en el jardín de al lado del colegio. Las señoras llevan ropa blanca y el asta yace sobre el suelo, como si fueran dos doctoras con un paciente. En el recreo tienen que espantar a algunos niños pequeños que quieren balancearse sobre el asta. «No podemos dejar que se combe —dicen—. Ni dejar huellas de zapato. Si la gente descubre que hay huellas de zapato subiendo o bajando por el asta de una bandera, puede preocuparse.»

Un jubilado enseña a un extranjero a pronunciar la *o* en noruego. El extranjero decía «calzuncillus» y «museu» y «periquitu» y «extranjeru». En su país de origen no usaban la *o*, aunque fuese un país en vías de desarrollo.
—Solo se baja un poco la lengua y sale la *o* —dice el jubilado.

Puede que Rolf el granjero sea bondadoso. Tiene algunos materiales que le sobran. Un sábado varios niños entusiastas le ayudan a cortarlos con la sierra y a clavar algunos clavos. Los martillazos se oyen por todo el pueblo. Frank y Denisa siguen el sonido. Cuando es Rolf el que martillea los clavos, es como si el cabrito más grande cruzase el puente. Cuando lo hacen los niños, le siguen los cabritos más pequeños.
—¡Van a ser pistas de minigolf!
—No es difícil —dice Rolf—. Solo hay que poner una plancha de metal grande, algunas tablas de madera, marcar con un lapicero y seguir la línea con la sierra.
No tienen el fieltro verde sobre el que rueda la pelota, por lo que Rolf envía a los niños a casa para que busquen suelo vinílico que les haya sobrado. En todas las casas lo hay, en un trastero en la buhardilla, dice. Después deben medir, cortar y pegar.
Rolf el granjero no hace nada de esto él mismo. Se pasea entre los niños y les va explicando, como un profesor de carpintería sin manos. Sin él todo sería un caos. Los niños se clavarían los pantalones a la pista y se pelearían por usar la sierra.
Denisa va a buscar un rollo de suelo vinílico que sobró cuando construyeron la casita de juguete. Es rojo, por supuesto, con estrellas blancas. Lleva enrollado diez años y ya

no sabe hacer otra cosa que no sea ser un rollo. Frank y Denisa lo desenrollan para medirlo, pero en cuanto Denisa se va a por un metro, se vuelve a enrollar, como si tuviese miedo a acabar como parte de una pista de minigolf, como si prefiriese volver a su polvoriento trastero.

Rolf coloca una jarra de refresco rojo en la escalera, una torre de vasos de papel y un rotulador negro. A unos metros, a una distancia prudente del martillo, hay un gato observando.

Las pistas de minigolf no tienen que ser exactamente como en los campings, pero tienen que tener pequeños tubos, cuestas, barreras. Una barrera puede ser un cubo de madera que desvíe la pelota a un lado, apartándola de la meta, que es el hoyo. O una fosa circular en la que pueda rodar la pelota. O simplemente un clavo en medio de la pista, en posición vertical. Natalie se va corriendo a casa para buscar un tubo. Su padre es fontanero.

Sofie es la primera a la que le entra sed. Coge un vaso, el rotulador negro y escribe su nombre con una O mayúscula con una carita sonriente dentro.

Un buen consejo de Rolf: ¡Si vas a clavar un cubo de madera a una superficie, el clavo debe ser más largo que el cubo! ¡Tienes que perforar el cubo y también la superficie! ¡Si no solo tendrás un cubo suelto con un clavo dentro!

A Frank se le va el santo al cielo y tiene que volver corriendo a casa para cenar. Aun así, llega demasiado tarde. El pollo está seco y el arroz está frío.

—Está bien —dice Madre con una sonrisa.

—¿Qué es lo que está bien? —pregunta Frank.

—Está bien que llegues tarde.

A Frank le parece un comentario extraño.

—¿De verdad?

—Ocurre rara vez. Quiere decir que te has olvidado de la hora. Y está bien olvidarse de la hora.

Frank come rápido y mucho.

—¿Qué estáis haciendo con Rolf? —pregunta Madre.

Frank responde con la boca llena.

—Ji-ja-je-ji-ji-jo.

—¿Eso qué significa?

Frank mastica y traga.

—Pista de minigolf.

Se come una lata entera de piña. Necesita la lata vacía para la pista, para el hoyo en el que cae la pelota. Cuando acaba de cenar, se come otra lata de piña de postre.

—Hace mucho tiempo que no te veía así. Se te ha ido la pinza —dice Madre entre risas.

—La piña —aclara Frank.

Cuando sorbe ruidosamente todo el líquido solo para vaciar la lata, Madre se ríe a carcajadas. Hacía mucho que no oía a Madre soltar una carcajada. Quizá se ría porque no llegan cartas por correo y porque la gente se porta bien, tal y como ella quería.

Frank quiere recoger la mesa, o por lo menos echar una mano, pero ella le dice que se vaya. ¡Fuera, fuera!

Un joven de otro país tiene un árbol alto en su jardín. La vecina suele echarle la bronca porque en el árbol anidan unos pájaros muy ruidosos. Este sábado saca la motosierra. La vecina oye el estruendo y sale a la terraza para gritarle que tenga cuidado para que el árbol no caiga sobre su seto. El hombre la saluda con la mano. Poco después, el árbol cae elegantemente en su propio jardín, lejos del seto. Lo desrama y corta el largo tronco en trozos. La vecina le observa desde la terraza. No sale. ¡Es que hay un extranjero con una motosierra suelto en el jardín de al lado! A mediodía se toma el almuerzo sentado en el tocón. Después se quita la camisa y corta la leña en trozos más pequeños. Llena una carretilla y la empuja hacia el garaje de la vecina.

—¿Adónde vas? —grita ella desde la terraza.

—Madera —responde él.

—Se llama leña —comenta ella.

—¡Tenga!

Empuja la carretilla hasta el garaje debajo de donde está ella.

—Está un poco húmeda, no está seca —se lamenta ella.

—Para invierno ser seca. Próximo invierno —dice él.

La vecina se inclina sobre la barandilla y grita:

—¡No vayas a robar nada!

—Yo amontonar aquí —dice él.

—Se dice apilar —dice ella.

—Yo apilar aquí.

—No puedo pagártela —le advierte ella.

—Gratis —dice él.

—Ah —comenta, y permanece callada.

Cuando el joven apila la quinta carga, ella añade:

—¡Mil gracias!

Ha sido muy amable por su parte, piensa Frank cuando le cuentan el incidente. Casi hermoso. La historia quedaría bien en la Biblia. Quizá lo de la motosierra no, pero el resto sí.

Rolf tiene dos botes de pintura. Roja, del mismo color que el granero. Si los niños llevan ropa demasiado elegante, los manda a sus casas a cambiarse. En la escalera coloca un paquete de servilletas húmedas que se pueden extraer una tras otra. Huelen a limón, pero no deben comerse. Son para frotarse las manos y quitarse la pintura.

Cuando el martillo se encuentra tranquilamente en la hierba, aparece el gato con las patas y la punta de la cola blancas. Quiere restregarse y que le acaricien. Se tira un buen rato oliendo a un niño de sexto curso que tiene tres gatos en casa.

Han terminado. Están sentados en una escalera esperando a que se seque la pintura. Es curioso. Alguien debería comentarlo. De alguna manera acaba siendo Edel. La madre de Edel la llama y le pregunta si no va a sacar a la perra, *Chuchi*, que es lo que más ama en el mundo. Edel está tomando refresco rojo sentada en una escalera de piedra, y dice que está ocupada y pregunta si su madre puede darle una vuelta.

Nadie se va a casa. Sofie lo dice con más claridad de lo que lo hace Edel:

—No ocurre a menudo esto de que todos hagamos piña.

—¿Cómo es eso? —pregunta Rolf.

—Todos nosotros. Y todas las cosas. Al principio tenía la sensación de que el martillo y la sierra y todos los clavos iban con el otro equipo, pero luego se pasaron al nuestro igualmente.

Rolf asiente.

Sofie levanta la mirada.

—Ahora son solo las nubes las que están en el otro equipo.

De repente aparece una nube tras otra por encima de la montaña. Todas son grises, pero no traen lluvia.

Rolf el granjero tiene que ir en coche a por más sirope rojo para hacer refresco. Regresa con tres botellas. Deja que los niños entren en la cocina y lo mezclen con agua ellos mismos; deben mezclarlo bien para que el refresco tenga el mismo color que la pared del granero.

—¡Qué extraño! —dice Denisa cuando ve la bolsa de la compra.

—¿El qué? —dice Frank.

—No ha ido al supermercado, sino a la gasolinera.

—Está el doble de lejos —dice Frank.

—Y es el doble de caro —dice Denisa.

Beben refresco de sirope rojo y contemplan las cuatro pistas. Han construido una instalación deportiva. La más grande del pueblo. Hecha en casa, con la superficie cubierta de suelos vinílicos diferentes. El rojo es de Denisa. Otro procede del cuarto de baño de Jørgen, es oscuro y con grandes copos de nieve blancos. El tercero tiene cuadrados amarillos y blancos. El último proviene del muchacho que tiene tres gatos. Es azul celeste, porque su madre se entristecía fácilmente y, por lo tanto, quería que todos los suelos fuesen de color azul celeste para que su estado de ánimo mejorase.

—Ahora sé algo más de las casas en donde vivís —dice Rolf—. Al tener en mi jardín el suelo que hay en vuestras casas, es un poco como si estas viniesen de visita.

Regresan a sus casas con manchas de serrín en los pantalones, pintura en la cara y tiritas en los dedos.

Madre tiene novedades que contar mientras Frank come. Ha hablado con una señora de Irak. Irak está en Asia. La mujer vendrá a casa todos los jueves a las doce, cuando Frank y Madre están fuera. Pasará la aspiradora por toda la casa y fregará el suelo del salón y de la cocina y tenderá la ropa. Frank no la verá. Simplemente volverá a casa para descubrir que todo está limpio, y que huele un poco a amoniaco.

A Frank le parece bien. No tiene nada en contra del olor a amoniaco. Hasta existen caramelos con sabor a amoniaco.

—¿Envía dinero a casa? —pregunta Frank.

—No. Esta es su casa.

—Entonces ¿el dinero no va a Asia?

—No, ella tiene a su familia aquí, Frank.

A la mañana siguiente es domingo y no hay colegio. Los que se despiertan con las manos delante de la nariz perciben el olor a limón y se apresuran a ir a casa del granjero a jugar.

Los niños tienen que hacer cola. Anotan los resultados con un rotulador en una caja de cartón grande.

Frank necesita 22 golpes para terminar las cuatro pistas. El récord es de 17.

La que lo hizo en 17 golpes, una niña de sexto, está sentada en un árbol riéndose de todos ellos.

Una regla importante: alguien tiene que encargarse de acariciar al gato. ¡Si no intentará atrapar la pelota!

Frank llega tarde a cenar hoy también, sin que Madre se enfade. Ella descubre que tiene un rasguño en un dedo. Brota una gota de sangre. Lo besa y así elimina la sangre antes de ponerle una tirita.

Algo más tarde, mientras cada uno se toma un gofre con mermelada de uva crespa, observan que algo se acerca hacia ellos por los aires, fuera de la ventana. Es una escalera. Oyen un sonido sordo cuando esta choca con el borde del tejado. Frank y Madre se miran, interrogantes. Oyen pasos en la escalera. Alguien sube. Es un hombre, un tipo completamente desconocido que lleva un cubo y una pala en la mano. No mira a través de la ventana, se limita a seguir subiendo hasta que Frank y Madre solo le ven la parte inferior del pantalón y los zapatos.

Madre se levanta rápidamente. Sale a la pequeña terraza. Frank la sigue justo detrás.

—¿Quién es usted? —pregunta Madre.

—Ah, hola —saluda el hombre—. Soy el que lleva lo de los canalones.

—¿Los lleva? —comenta Madre.

—Sí, no es que me los lleve literalmente. Los limpio. Se ha acumulado suciedad en uno de los extremos. Es porque están torcidos. El agua corre en sentido contrario, alejándose del desagüe. Es bastante común. ¡Mire!

El hombre introduce la pala en el canalón y levanta una masa grande y viscosa, como de tierra húmeda, de la que sobresale un pequeño brote verde.

—¿Viene usted del ayuntamiento? —pregunta Madre.

—No —responde.

—Entonces ¿de dónde viene? Jamás he oído hablar de gente que se ocupe de los canalones.

—Soy prácticamente como un deshollinador, solo que no deshollino —afirma.

—Por tercera vez, ¿de dónde viene usted? —pregunta Madre elevando la voz.

—No vengo del ayuntamiento —responde él.

—Esa no es ninguna respuesta —dice Madre.

—Sí que lo es —insiste él.

—No —dice Madre—. ¡Bájese inmediatamente!

—Pero... —protesta.

—¡Bájese! —grita Madre.

—Es gratuito —declara.

—Me importa una mierda —dice Madre.

El hombre se baja de la escalera farfullando:

—Sí, seguro que sí.

Después dice algo más que Frank no oye, pero que quizá oye Madre, ya que le pide que cierre la boca. Incluso escupe cuando se marcha. Es la primera vez que Frank ve a Madre escupir otra cosa que no sea pasta de dientes. Es la primera vez que ha visto a Madre escupir detrás de una persona. No sabe qué es peor: escupir o decir palabrotas.

La mañana del lunes es seca. A Pål le falta su charco. Debido a esto se ha tumbado sobre el tejadillo de la entrada. Es un tejado bajo el cual se pueden resguardar los alumnos cuando llueve. Para entrar al colegio todos tienen que pasar por debajo de él. Los niños vacilan. Temen que Pål les escupa, o incluso algo peor. Pero cuando la primera niña, que se llama Ingrid Liv, se aventura a entrar, lo único que dice es:

—¡Ingrid Liv apesta a regaliz!

No es algo bonito. Sin embargo, es mucho más bonito que lo que le ha dicho en anteriores ocasiones. Ingrid Liv Culo de mandril. Después dice Rita Enanita y Mari Rastafari y Frank Cara-pan y Vibeke Guateque.

Los alumnos se miran. ¿Qué le pasa hoy a Pål?

En la primera clase, Pål está sentado quieto en su silla. Escribe palabras enteras sin levantar el lapicero del cuaderno. Fenomenal, dice la profesora. Fenomenal, escribe Pål. Cuando llega el descanso para tomar la fruta, no le apetece comerse su naranja. No tiene hambre. Si Ida la quiere, se la regala.

Entonces los alumnos se dan cuenta.

Pål Ojete con sal quiere ganar el buenillón.

—Hay un hombre que pasea por la calle de noche —dice Denisa en el primer recreo—. Anoche me levanté para beber leche. Había bastante luz afuera y descubrí a un tipo que iba caminando por la calle.

—Ajá —dice Frank.

—Sacó cosas de una bolsa y las fue tirando por la cuneta.

—Ajá —dice Frank con paciencia.

—Y había suficiente luz como para que pudiese ver quién era.

Frank no responde. No puede seguir repitiendo «ajá».

—Era ese al que llaman el Tronco. Mientras me tomaba la leche, pensé: está loco. Pero es viejo, y los viejos no siempre saben lo que hacen. Tal vez sea sonámbulo, pensé. Luego volví a acostarme.

—¿Y entonces?

—Entonces me quedé dormida, pero de repente volví a despertarme con un pensamiento. Pensé: ¿el Tronco? ¡Ese es el marido de la Tronca!

—¿Y? —pregunta Frank.

—Ella es la que recoge basura de día.

Frank reflexiona un segundo.

—¿No?

Denisa asiente.

—Su marido se dedica a tirar basura por la noche. Por el día, la mujer la recoge.

—¿Estás segura de que no lo has soñado? —pregunta Frank.

—Piensa lo que quieras, pero yo ya te lo he dicho —responde Denisa, y se marcha.

Cuando Frank vuelve a casa, se lo cuenta a Madre. Ella lo escucha, mastica lentamente la comida y traga. Cuando ya no tiene comida en la boca y puede hablar, se limita a meterse más comida.

Es por la mañana, y Madre llega al trabajo. Inmediatamente descubre que el cuarto donde se guardan los cubos no está como lo dejó. Sobre el lavabo cuelga una funda de mopa, como si fuera una lengua. Madre la toca. Está húmeda. Sale del cuarto, sube la escalera y recorre el pasillo. El suelo resplandece húmedo bajo la luz del techo. En la cocina se encuentra con uno de los manazas. Tiene la cara roja y está bebiéndose un gran vaso de agua.

—¿Ha pasado alguien la mopa? —pregunta.

—Sí —responde él.

—¿Quién ha sido?

—Yo —responde.

—¿Por qué?

—Pensé que podría ahorrártelo.

Se acaba el vaso.

—Es mi trabajo —dice ella.

—Sí, pero soy terriblemente desordenado. Seguramente estés cansada de recoger mis cosas.

—Es mi trabajo —insiste ella.

—No necesitas un trabajo. Ahora, digo.

Ella lo mira. El hombre tiene el vaso vacío entre las manos. Lo sujeta como si todavía quedase agua.

—Abre la ventana —dice Madre.

—Eh... ¿cómo?

Ella hace un gesto con la cabeza señalando la ventana.

Se acerca vacilante y la entreabre.

Madre gesticula para indicarle que la abra más. Él abre la ventana de par en par.

—Lanza el vaso —dice ella.

—¿Cómo?

Madre da unos cuantos zapatazos en el suelo.

—¡Lánzalo!

—Pero... se romperá —protesta él.

—¡Lánzalo! —vocea ella.

Se miran. Él parpadea bastante. Ella no parpadea. No tiene elección. Se inclina sobre el alféizar de la ventana, estira el brazo todo lo que puede e intenta soltar el vaso con cuidado sobre el asfalto, cuatro metros más abajo. Se rompe en pedazos; quizá no en mil, pero sí en muchos.

—En el cuarto de la limpieza hay escoba y recogedor —dice Madre.

—¿Para mí?

—Efectivamente. Ya que quieres hacer mi trabajo.

Él asiente, baja la mirada y pasa ante ella lentamente, atraviesa el pasillo y baja la escalera. Acto seguido ella abre el armario de la cocina y saca varios vasos. Se los lleva a la ventana. En el momento en que él aparece con la escoba y el recogedor, arroja los vasos sobre el asfalto: tres, cuatro, cinco, seis.

—Recógelo todo. El más mínimo trozo de cristal puede pinchar la rueda de un coche —le grita ella.

Cuando Frank vuelve del colegio ese mismo día, Madre está haciendo la maleta.

—Nos vamos —dice—. ¡De vacaciones!

—¿Nos vamos? —pregunta Frank.

—Nos tomamos una semana libre.

—¿Ahora?

—Necesitamos salir un poco de aquí. Necesitamos sol. Conozco una piscina cálida y enorme.

—¿De veras?

—Se llama mar Mediterráneo.

—Pero... —dice Frank.

—¿Pero? ¿Qué ocurre? ¿No te apetece?

—¿Qué pasa con tu trabajo... y el colegio?

—Cuando no esté, verán lo útil que soy. Y tú puedes llevarte un par de libros.

—¿Qué pasa con el minigolf?

—Solo será una semana —dice Madre.

—Tenemos examen de inglés el jueves —recuerda Frank.

—Podrás pedir todas las comidas en inglés —concluye Madre.

SEGUNDA PARTE

Frank y Madre se marchan temprano por la mañana. En el colegio solo hay una ventana iluminada. Seguramente allí haya un profesor tramando algún ejercicio perspicaz. Frank debe estar atento por si ve unos ojos amarillos en el arcén. Todavía no ha amanecido, y los ciervos no saben lo que les conviene más. En vez de salir corriendo para alejarse de un coche, corren hacia él. El coche de Madre ya tiene dos abolladuras, una a cada lado.

—Espero que no nos estemos marchando demasiado pronto —dice Madre.

—¿Para coger el vuelo?

—No. Que no nos estemos yendo demasiado pronto del pueblo.

—¿Qué quieres decir?

—Las personas somos animales de costumbres, Frank. Yo, por ejemplo, siempre me pongo el calcetín derecho primero. Cuando limpio los cristales, a menudo empiezo a silbar.

—¿Y qué? —pregunta Frank.

—Tú también tienes tus costumbres, Frank. Siempre haces los deberes de mates primero.

—Sí.

—Haces pequeños crucigramas en la cama antes de dormirte.

—Sí.

—Son viejas costumbres. Eso es lo que pretendo conseguir con el buenillón. Cuando la gente lleva un tiempo siendo buena, esto se convierte en una costumbre, y por lo tanto seguirán siendo buenos aunque nosotros nos vayamos.

Madre cambia las luces largas por las cortas cuando vienen coches. Si aparece un autobús o un camión, se acerca más al lateral para dejarle paso.

—Cuando no estés en casa para vigilar, no es nada seguro que a la gente le apetezca portarse bien —piensa Frank en voz alta.

—Creo que irá bien. Solamente vamos a estar fuera una semana —dice Madre.

Frank intenta encontrar una buena comparación.

—Es como si un árbitro de fútbol soplase para que comience un partido y luego, cinco minutos más tarde, se marchase diciendo que vuelve en un rato.

Entran en un túnel.

Madre no responde.

Quizá no le guste hablar dentro de las montañas, o quizá necesite tiempo para reflexionar. Tampoco responde cuando salen por el otro lado. Se concentra en la conducción. Quizá sea difícil conducir un coche. Aunque hay señales junto a la carretera que indican lo que a uno le espera.

Madre lo mira de soslayo:

—Cuando eras pequeño, siempre estirabas el cuello para mirar hacia el bosque cuando pasábamos una señal que avisaba de ciervos. Ya no lo haces.

Suena un poco decepcionada.

—Miré tantas veces sin ver nada —dice Frank.

Piensa un poco y añade:

—Es una costumbre que he dejado.

En la lejanía ve un avión con una luz roja parpadeante en su parte inferior. Vuela hacia el sur. La mayoría de los aviones vuelan hacia el sur. Eso es porque ellos viven muy al norte.

Cuando entran en el siguiente túnel, Frank dice:

—A veces en clase puede haber silencio y que estemos trabajando bien durante media hora, escribiendo o haciendo cuentas. Pero cuando el profesor se marcha a hacer fotocopias, a menudo se lía parda.

Madre no responde.

Tampoco cuando han salido del túnel.

—Tenemos billetes en primera clase —susurra Madre justo antes de embarcar en el avión.

Están haciendo cola para poner el código de barras bajo una luz verde. Una señora se encarga de comprobar que haya un pitido por cada billete.

—¿No es eso caro? —pregunta Frank.

—Hay más espacio para las rodillas —dice Madre.

Frank echa un vistazo a sus rodillas. Son bastante pequeñas.

La señora ayuda a todo aquel que no consigue que pite. Un anciano pregunta si no va a romper el billete, pero eso ya no se hace. Ahora tiene que pitar. Frank coloca el código de barras en su sitio. Transcurren un par de segundos en silencio, como si la máquina dudase un poco. Luego suena el pitido. Buen viaje, dice la mujer. Es un trabajo extraño, piensa Frank, el de desplegar billetes y hacer que el papel pite y luego decir buen viaje.

—Nos ahorramos el tener a la gente tan cerca —dice mamá cuando atraviesan la puerta de embarque. En este túnel sí puede hablar—. Piensa en todos los niños llorones. Y además nos dan la comida antes que a los demás.

Madre ha empezado a despilfarrar, piensa Frank. Eso está bien.

En cuanto el avión está en el aire, Madre se quita los zapatos y estira los pies separando los dedos. Inspira hondo y espira durante largo rato, mira a Frank, sonríe y dice «aah» y «ahora sí que vamos a disfrutar» y «esto sí que es otra cosa y no la jaula de pájaros que hay ahí detrás» y «creo que nos dejan compartir el servicio con el capitán».

Están solos en primera clase. Todos los demás están detrás de una cortina.

Hay dos azafatas a bordo. Son rubias y dicen palabras que empiezan por *b*, *q* y *t*. Bienvenidos y quiere y tenga.

Los asientos son blandos y amplios. Tienen una pantalla cada uno para ver películas. Madre se toma primero una taza de café y luego otra más, como si intentase que le entrasen ganas de hacer pis para poder ir al baño.

El capitán dice que están a diez mil pies de altitud.

—¿Cuánto es un pie? —pregunta Frank.

—Eres tú el que va al colegio —dice Madre.

—¿Por qué no lo dice en metros?

—Los hombres miden las cosas en pies —dice Madre—. También cuando hablan de su barco. Así suena más largo.

Las azafatas preguntan a Frank si quiere algo. Una almohada por si quiere dormir. Un periódico para leer. Pollo caliente en salsa amarilla para comer. Así es la vida de millonario. Esto es otra cosa y no el hacer un agujero más grande en el envase de mayonesa o poner extra de queso. Le sirven un refresco. En el reposabrazos hay un agujero donde puede poner la lata. El agujero le recuerda a Frank al hoyo en el campo de golf, donde tiene que entrar la bola. Mientras come pollo en salsa amarilla, medita sobre cómo va a batir el récord de la niña del árbol. Tiene que ocurrir en la pista 4. Es la más complicada. Quizá no sea conveniente que intente pasar la pelota a través del túnel con el primer golpe. ¿Es quizá más inteligente golpear la pelota hacia el hoyo?

La habitación del hotel tiene paredes blancas y camas blancas, y una cortina blanca que ondea con el aire que se cuela por la puerta del balcón. En las dos almohadas hay un cuadrado rosa con un lazo. Frank tiene la esperanza de que sea chocolate, aunque es jabón. En el cuarto de baño hay cuatro toallas blancas, dos grandes y dos pequeñas. Todos los días les llevarán toallas limpias. Madre ha pagado un poco más por eso. Hay una cabina de ducha con mampara de vidrio. Cuando Madre era pequeña, en la ducha había cortinas de plástico. Era asqueroso, dice, porque cuando la cortina estaba mojada, solía pegarse al trasero de la persona que se estaba duchando.

En la habitación hay dos sillas y una pequeña mesa que pueden sacar al balcón si quieren comer fuera. Desde el balcón pueden ver una gran piscina de aguas turquesas y un trampolín.

—¡Qué bonito! —dice Madre.

Mientras deshacen las maletas, el móvil de Frank pita. Oskar y Denisa son los únicos que saben que se ha marchado.

—Hum —dice Frank cuando lee el mensaje.

—¿Quién es? —pregunta Madre sin especial interés.

—Oskar.

—¿Qué dice?

—¿Te acuerdas de la mujer que recoge basura en el arcén?

Madre busca perchas en un armario para colgar sus vestidos.

—La Tronca, ¿no?

—Hoy se desmayó. En la cuneta, fuera del colegio. Se la llevaron en una ambulancia.

—¿De veras? —pregunta Madre—. ¿Dice algo más?

—No.

—¿Te manda foto?

—¿Foto? ¿Cómo va a sacar una foto de eso?

—Y yo qué sé —dice Madre—. ¡Pregúntale cómo está!

Frank se lo pregunta.

Mientras espera la respuesta de Oskar, Frank coloca las camisetas y los calzoncillos en su sitio. Los calzoncillos van con los calzoncillos, las camisetas con las camisetas. Acaba enseguida.

Oskar tarda en responder. Frank podría haber colocado treinta camisetas y treinta calzoncillos mientras tanto. Lo que no hace es caer en la cuenta de que quizá Oskar tenga más palabras que el número de calzoncillos que él tiene. Escribir palabras no es como colocar camisetas en un armario o colgar calzoncillos en un tendedero.

Escribir requiere tiempo. Escribir oraciones es como disparar con una escopeta de aire comprimido, gaviota a gaviota. Oskar intenta comenzar a redactar la historia varias veces. Pero resulta demasiado larga. Si no hubiese sido tan caro, habría llamado a Frank para decirle que fue él quien la descubrió. Vio que la Tronca caminaba por la cuneta con su bastón. Había colocado un clavo en el extremo del bastón para poder recoger basura con él. En la otra mano llevaba una bolsa de plástico. Oskar la vio caer. Ella permaneció tumbada, así que alertó a un profesor.

—Está tumbada en la cuneta —dijo Oskar.

—No veo nada —respondió el profesor.

—Eso es porque se ha caído en la cuneta.

Llegó una ambulancia amarilla con letras verdes. En el techo parpadeaba una luz azul. Del vehículo se bajaron dos individuos vestidos de rojo. Recogieron a la Tronca y la subieron a una camilla naranja. No permitieron salir a los alumnos. Tuvieron que quedarse observando desde la ventana.

Hacia el final del día, cuando el sol se asomó por el otro lado del edificio e iluminó la ventana del aula, descubrieron que los cristales estaban llenos de huellas de dedos.

En vez de escribir todo esto, Oskar se limita a poner dos breves palabras.

—No sé —lee Frank.

—Esperemos que todo vaya bien —dice Madre.

—Quizá se haya esforzado demasiado —declara Frank.

—La Tronca es bastante mayor —comenta Madre.

—Iban detrás del buenillón. Ella y su marido. No lo habría hecho si no fuese por el buenillón.

—A todo el mundo le viene bien algo de aire fresco —dice Madre.

—No tiene sentido que una persona que usa bastón esté andando por la cuneta —dice Frank.

—Podría haberse desmayado igualmente en su cocina —dice Madre.

Antes de acostarse se lavan los dientes juntos en el cuarto de baño. Solo hay un vaso de plástico para colocar los cepillos. Si los cepillos apuntan en la misma dirección, el vaso se vuelca. Para mantener el equilibrio, cada uno debe apuntar en una dirección distinta.

Entre el hotel y la playa hay una larga calle peatonal. Se denomina paseo marítimo. Pasear es una forma de caminar, dice Madre. Cuando se pasea, hay que ir tranquilo y relajado y no apresurarse, más o menos como cuando un crucero turístico entra en un fiordo noruego.

Madre paga por dos hamacas con sombrilla. Un hombre con camisa blanca y una riñonera colgando bajo la barriga los acompaña, pasando por delante de muchos que están tumbados en las toallas directamente sobre la arena. Es una locura, opina Madre.

—¿Son caras las hamacas? —pregunta Frank.

—Un poco —dice Madre.

Antes seguramente hubiese dicho que era una locura pagar para ponerse en una hamaca. Madre no es como antes. Eso está bien. Cuando lleve una temporada despilfarrando, esto se convertirá en una costumbre, y entonces continuará con el despilfarro. Al final quizá acabe despilfarrando tanto que le entregue a Frank su parte del premio, aunque eso en realidad no sería despilfarrar, solo ser justos.

El hombre instala la sombrilla. Frank mira a su alrededor. Ve arena con guiris, guiris con arena, bolsas de playa y colchonetas con forma de animales.

El hombre trae una mesa blanca de plástico. Parece uno de esos banquitos a los que se subía Frank cuando era pequeño para alcanzar el lavabo en el cuarto de baño. Se supone que es una mesita para poner la crema solar y el agua y el libro.

—Esto será maravilloso —dice Madre.

»Siente lo cálido que es el aire —añade.

Frank tiene que untarle crema en la espalda. Allí no hay nadie más que pueda hacerlo. No es como untar una rebanada de pan, porque entonces usa un cuchillo. No es como pincelar el huevo batido en los bollos, pues entonces usa una brocha de cocina. Tiene que usar los dedos. La piel de Madre arde, como una taza de chocolate caliente vacía. Extiende la crema sobre su piel rosada con un masaje hasta que ya no es blanca, mientras ella dice:

—¡No muerdo, Frank!

Y:

—¡Apenas me estás tocando!

Y:

—¡Ponme más!

—¿Dónde? —pregunta Frank.

—Por todas partes —dice a voces—. Y ¿puedes echarles un vistazo a mis lunares?

—¿Quieres que les eche un vistazo?

—Para ver si parecen inofensivos.

—Yo no sé cuál es el aspecto de los peligrosos —responde Frank.

Después ella le unta crema en la espalda. Él tiene una espalda bastante pequeña. Sin embargo, tarda en acabar. Él sospecha que lo usa como excusa para poder tocarlo. Solo se tocan en verano. La espalda.

—Ahora vamos a relajarnos y a disfrutar —dice Madre.

—Sí —dice Frank.

—Cuando nos hayamos bañado, tendremos que volver a aplicarnos crema —dice Madre.

Frank espera un poco antes de bañarse.

A la hora del almuerzo, Madre entabla conversación con una mujer noruega. Ella está allí con su hijo, que se aburre porque no tiene con quien jugar al pimpón.

—Frank puede jugar con él —sugiere Madre.

Frank mira al chaval. Está moreno y lleva cera en el pelo rubio para que se le quede de punta. Está chulo eso de llevar el pelo de punta. El muchacho niega con la cabeza.

—Contra —dice.

—¿Cómo? —pregunta Madre.

—Jugar contra mí, no conmigo. No podemos ponernos en el mismo lado de la mesa, vaya.

Parece cansado, como si ya hubiese intentado explicar la diferencia a Madre en numerosas ocasiones. Madre se da cuenta y le lanza una mirada que dice: «¡Ya sabes lo que quiero decir, niñato!».

—Vale, vale, Magnus —dice la otra madre.

—¿Eres bueno? —pregunta el muchacho. Mira a Frank con insolencia.

—Más o menos —dice Frank.

La madre de Magnus recoge dos palas y una pelota en la recepción.

La mesa de pimpón está a la sombra, debajo de una palmera. Es de piedra y puede permanecer a la intemperie todo el año. Frank está un poco expectante por comprobar lo bueno que es Magnus, o lo bueno que es él mismo. Solía jugar en el recreo, en el refugio antiaéreo, antes de que Pål destrozase la mesa. Sabe que no es muy bueno. Le falta el típico golpe de gracia.

—La mesa de pimpón es mi mesa favorita —dice el muchacho.

—¿Ah, sí? —dice Frank. No sabe qué otra clase de mesa le puede gustar a uno.

Empiezan a jugar. En pimpón se tarda poco en descubrir

el nivel del contrincante. Este muchacho, Magnus, que seguramente sea un poco mayor que Frank, de hecho, juega peor. No es capaz de hacer que la pelota bote en la mesa tres veces seguidas. Es demasiado impaciente. Intenta poner en práctica técnicas que no controla. Intenta golpear la pelota con efecto. Golpea la red, o fuera de la mesa.

Con el marcador a 6-2 a favor de Frank, Magnus contempla su pala.

—Creo que esta es para zurdos.

Se las intercambian.

No sirve de nada. Frank sube a 8-3 y 10-4 y 13-5.

Hablan poco. El sonido de la pelota yendo y viniendo es como charlas breves. Una pareja de ancianos se detiene para verlos jugar. En los árboles hay grillos que, constantemente, emiten un sonido extraño. Es como si roncasen a toda prisa.

Magnus empieza a sabotear su propio juego. Da golpes altos a propósito mientras emite un silbido, emulando una bomba que cayese sobre la tierra. Sostiene la pala como si fuese una pequeña guitarra y se pone a cantar un poco, como si el hecho de perder no le afectase. En una ocasión, cuando Frank hace un saque, se pone a hurgarse la nariz con el dedo, como si su palabra favorita fuese fosa nasal y no mesa de pimpón.

La pareja de ancianos que estaba mirando se marcha. Magnus dice de repente:

—¿Tu madre es rica?

Frank lo mira. Es Magnus el que está en posesión de la pelota y, por lo tanto, el que decide cuándo se reanuda el partido.

—No —miente Frank—. ¿Por qué?

—Os vi en el avión. En primera clase.

—Es por cuestiones de salud —dice Frank.

—¿El qué es por cuestiones de salud?

—Necesita espacio para las rodillas.

Ambos miran hacia la orilla, donde Madre reposa sobre

una tumbona debajo de una sombrilla. Justo en este momento, un señor que viste camisa blanca está girando la sombrilla, ya que el sol se ha movido un poco.

—A mí me parecen unas rodillas perfectamente normales.

Frank golpea la pala con la palma de la mano para reanudar el partido. No le apetece quedarse parado debajo de una palmera debatiendo sobre las rodillas de Madre.

La pelota va y viene unas cuantas veces antes de que el muchacho la envíe fuera a medio metro al golpearla con efecto. Frank la recoge y la lanza por encima de la red.

—Seis-diecisiete —dice.

Lo dice sin tono de burla, como un locutor deportivo imparcial.

—Cuando estamos en la playa, solemos llenar botellas de agua y dejarlas en el congelador por la noche —dice el muchacho.

—¿Ah, sí? —dice Frank.

—Luego las metemos en la mochila para ir a la playa. Para ahorrar dinero. Es caro comprar botellas de agua todo el rato.

Ambos miran hacia la playa. El hombre de la camisa blanca regresa al chiringuito. En la mesa de Madre hay una botella de agua y una taza blanca, seguramente de café.

—Seis-diecisiete —repite Frank.

—No. Son siete-dieciséis —dice el muchacho.

—Son seis-diecisiete —dice Frank.

—No está permitido hacer trampas —dice el muchacho.

—No hago trampas.

—Entonces mientes.

—Claro que no.

—Vale. ¿Tu madre es rica?

El muchacho lo mira. Frank mira la mesa. El partido no estaba siendo demasiado emocionante, pero tampoco ha acabado del todo. Quiere acabar y ganar, por lo que responde:

—A lo mejor, un poco.

—¿Cómo de rica?

—Lo suficientemente rica como para comprarse agua.

—No lo parece. Parece una tipa cualquiera —dice Magnus.

Se va a hacer caca. Ese es el motivo por el que estaba jugando tan mal, dice. Tenía muchas ganas de hacer caca.

Frank se queda esperando. Observa a unos hombres que juegan a la petanca justo al lado. El juego consiste en tirar una pequeña bola amarilla en primer lugar, y luego tienen que intentar lanzar otras más grandes para que se acerquen tanto a la amarilla como sea posible. Poco a poco las bolas forman un universo, un sol rodeado de planetas.

Frank espera un largo rato. Magnus no regresa. Quizá haya cola en el cuarto de baño, piensa. Al final, Frank lo localiza. Está junto a la orilla, no muy lejos de su madre. Ella le da algo, fruta tal vez, que se introduce en la boca. Ahora vendrá hacia aquí, piensa Frank. Sin embargo, Magnus se quita la camisa, coge una colchoneta y sale corriendo al agua.

Frank deja la pelota en la mesa con la pala encima. Baja a ver a su propia madre, la millonaria con agua, que está leyendo un libro.

—¿Cómo ha ido? —pregunta.

—No muy bien —contesta Frank.

—¿Has perdido?

—No —dice Frank.

Mientras Frank jugaba al pimpón, ha llegado un nuevo mensaje de Oskar. Frank lo lee en voz alta:

—Alguien ha entrado en el garaje de Helge Myr y ha cortado la cuerda de arranque de su cortacésped.

Madre aparta el libro.

—¿De quién has dicho?

—Del jubilado que corta el césped de la gente mientras esta está trabajando.

—¿Eso hace? Qué amable.

—Mucho —dice Frank—. Habrá sido precisamente por eso. Tal vez tuviese posibilidades de ganar.

—¿A qué te refieres? —dice Madre, y se estira para alcanzar la taza de café que hay sobre la mesa de plástico.

—Se trata de un acto de sabotaje. Para que no ayude a más gente.

Madre bebe de la taza. Contempla el mar Mediterráneo. Cuando vuelve a dejar la taza, ha aparecido una arruga en su frente. Frank no sabe si se debe al café o si está pensando en algo.

—Ese tipo de cuerdas se rompen por sí solas. Sobre todo, si se dedica a cortar el césped de todo el pueblo. No es una cuestión de sabotaje, sino de desgaste —comenta, y sigue leyendo su libro.

—Quizá —dice Frank—. Pero se puede distinguir si la cuerda ha sido cortada o si se ha roto por sí sola.

—Frank —dice Madre—. Hemos venido hasta aquí para disfrutar. No podemos estar pensando en la cuerda de arranque del cortacésped de Helge Myr.

Frank observa a la gente. A cierta distancia hay un barco de motor que lleva a remolque una banana acuática gigante. Encima de la banana hay cinco o seis personas que intentan no caerse. Gritan de alborozo, o tal vez de miedo. Es un trabajo, piensa Frank, el remolcar una banana hinchable sobre el mar. Aún más lejos hay un hombre con esquís en los pies que está atado a un barco. La cuerda se extiende muchos metros en el aire. El hombre está colgado allí arriba, bajo un paracaídas, justo entre la tierra y el mar.

—Me pregunto cuánto costará —dice Frank.

Madre sigue su mirada.

—¿Estás loco? Eso está demasiado alto.

—O el plátano ese —dice Frank.

Al momento de decirlo, la banana colisiona contra una enorme ola y dos de sus pasajeros salen despedidos y desaparecen en el agua.

—No, no, no —dice Madre—. ¡Debes quedarte por aquí donde yo te pueda ver!

Frank camina mar adentro. En el fondo hay arena fina. No hay algas ni piedras resbaladizas como en casa. El agua le resulta fría tan solo en la entrepierna, y solo por un breve instante. Permanece de pie antes de echarse a nadar mar adentro. Las olas son pequeñas. Nada bastante bien, pero cuando le entra agua en los ojos, no es capaz de quitársela parpadeando. Tiene que levantar una mano y secarse los ojos. El fondo se oscurece bajo sus pies. Oscuro quiere decir profundo. Nada para volver, se pone de pie un instante cuando hace pie y entonces vuelve a nadar hasta donde está permitido, hasta las boyas. Están sujetas al fondo con una cuerda. Madre le saluda con la mano desde la hamaca. Frank le devuelve brevemente el saludo. Permanece chapoteando un rato en el agua, agarrándose a una boya mientras intenta flotar de espaldas. Cuando tiene los oídos sumergidos en el agua, apenas oye todo el ruido que proviene de la playa.

De repente aparece un rostro justo a su lado. El rostro escupe agua y dice:

—Es maravilloso bañarse y comer pizza. Pero uno se cansa de ello enseguida.

Es Magnus. Ahora también sigue teniendo el flequillo de punta. No menciona el pimpón.

—Es muy agradable ir sin calcetines —dice Frank, como si tuviese ochenta años—. Y también se puede practicar un poco de inglés.

—Solo hablamos con los camareros —dice Magnus—. Lo único que decimos es «hola» y «gracias» de forma torpe. Sería más interesante conocer a niños que vivan aquí.

—Sí, es cierto —dice Frank.

—Pero para conocerlos necesitamos dinero.

—¿Ah?

—Y tú tienes más dinero que yo.

—¿Eso crees?

—O lo tiene tu madre.

Frank mira a Madre. Ha dejado el libro. Quizá vaya a echar una cabezadita. Frank no responde. Magnus lo mira directamente. Dice:

—¿Sabes dónde está su tarjeta de crédito?

—¿Tarjeta de crédito? —pregunta Frank.

—¿Te sabes el código?

—¿El código?

—No me mires tan asustado. Solo te he preguntado si conoces su código.

Frank descubre a una persona que camina sobre el agua. Es una mujer. Lleva unas botas especiales, y estas están conectadas a una manguera gruesa; de las suelas salen chorros de agua. Se balancea sobre el agua como si llevase zancos.

—Seguramente habrás mirado su dedo cuando paga —continúa Magnus.

—¿Y qué?

—Puedo mostrarte cosas que jamás has visto. Solo saca algunos billetes de cien. Euros, me refiero, y te lo mostraré.

Frank no contesta. Nunca ha sacado dinero de un cajero.

—Piénsatelo —dice Magnus, y vuelve a la playa nadando—. Cuando empieces a aburrirte.

Madre no dice nada del buenillón. Puede que esté cavilando sobre a quién se lo debería entregar. Cuando deja el libro y mira pensativa al mar, Frank le pregunta:

—¿Estás pensando en el buenillón?

—No —responde.

—No digo ahora mismo, pero ¿en general?

—A veces.

—¿Hay alguien que destaque?

—Sí y no —dice ella.

Es una respuesta extraña. ¿Sí y no? Eso quiere decir que algunos destacan y que otros no destacan, por lo que podría haber contestado que sí.

—¿Quién?

—No lo sé muy bien —dice—. ¿Sabes algo más de la Tronca?

—No —dice Frank.

A continuación, Madre empieza a hablar de un tema totalmente diferente, de algo que carece por completo de interés. Crema solar. Es bueno que la tengan en crema y no en espray, dice ella. El aerosol puede ser nocivo para el aparato respiratorio. Sin embargo, la crema que se vende en el paseo marítimo es completamente inútil, pues está expuesta en la calle, a treinta grados, por lo que igualmente se podría usar mantequilla. Si Frank nota que le escuece la piel, se ha puesto poca crema. Entonces tiene que ponerse más, dice Madre. Al final no queda nada más que decir sobre las cremas solares, piensa Frank. ¡Pero resulta que sí! Madre sigue hablando de su abuela, es decir, la bisabuela de Frank, que Frank jamás ha visto en persona, solo en una foto en blanco y negro. La bisabuela nació mucho antes de que se inventasen las cremas solares y por eso tenía la cara tan roja y arrugada, porque antiguamente se trabajaba mucho al aire libre. Ella cuidaba de los animales arriba, en los pastos de verano. Frank se limita a decir «hum» y «vaya». Está escuchando con solo un oído; pronto lo hará únicamente con el lóbulo de la oreja.

Madre y Frank cenan fuera. Hay cafeterías por todas partes. Frank pide pizza de jamón con piña. Ya desde el primer mordisco nota que la piña tiene sabor a minigolf. Frank se pregunta si alguien habrá batido el récord de la niña del árbol. Se pregunta si Rolf el granjero tendrá que comprar más sirope rojo. Se pregunta si estarán construyendo otra pista.

Cuando termina de cenar, ocurre algo inesperado. Madre dice:

—¿Coges las servilletas?

En el centro de la mesa hay un taco de servilletas de papel blancas con una piedra lisa y redondeada encima.

El camarero está de espaldas.

—¿Para qué las queremos? —pregunta Frank.

—Podemos usarlas en la habitación.

—Pero ¿no están aquí para los clientes?

—Nosotros somos clientes —dice Madre.

—Quiero decir, para después de comer.

—Nosotros acabamos de comer —dice Madre.

Frank mira al camarero. Está de espaldas limpiando una mesa. Sin embargo, está prestando atención. Está atento por si alguna persona quiere pagar, algo más de beber, o por si puede atraer a alguien del paseo marítimo para que se siente a una mesa.

—Podemos comprar servilletas en el quiosco, ¿no? —dice Frank.

En la planta baja de donde se alojan hay un pequeño quiosco.

—No es necesario si las podemos tener gratis aquí —dice Madre.

Frank no entiende nada. Por fin Madre ha empezado a despilfarrar dinero en billetes de avión y hamacas y cafés bajo una sombrilla. ¡Pero ahora no quiere pagar por un paquete de servilletas! ¿Se le ha olvidado que es millonaria?

—Si puedes comprar la fábrica de servilletas entera... —comenta Frank.

Justo en el momento en el que Frank se inclina hacia delante y levanta la piedra, el camarero se da la vuelta y mira en su dirección. A Frank se le escapa la piedra, que cae sobre la mesa como si estuviera ardiendo, y el penetrante sonido del golpe hace que el camarero mire a Frank y este se convierta en un tomate mediterráneo, completamente rojo.

Madre suspira y vuelve a colocar la piedra. El camarero asiente, como si dijese: «¡Así se hace!». Quizá pensase que Frank quería llevarse aquella piedra tan bonita, que es tan pequeño que se deja deslumbrar por piedras lisas y redondeadas.

En el momento en que el camarero entra en la cocina, Madre se hace con casi todas las servilletas.

Suben la escalera que lleva a la habitación desacompasados.

El segundo día en la playa es idéntico al primero. Frank nada un poco mar adentro y regresa, manteniendo la nariz y los ojos por encima de las olas. Madre lee y toma café. Hace mucho calor. Se untan crema solar. Él observa sus lunares. Frank oye frases extranjeras que no entiende. Un hombre va de un lado a otro con un bolso o, mejor dicho, con una caja sobre el hombro y grita «cucuruza», pero nadie le pide que se pare. Frank se pregunta qué será *cucuruza*. ¿Puede ser coco rosa?

No ve a Magnus por ninguna parte.

Nadie juega al pimpón bajo las palmeras.

—Deberíamos tener una colchoneta —dice Frank.

Resulta agradable estar en el agua, pero parece incluso más agradable estar sobre el agua.

—Seguramente ese chico te pueda prestar su colchoneta —dice Madre. No recuerda que Magnus se llama Magnus.

—No lo creo. Prefiero que nos compremos una. ¡Pero no tengo dinero!

—Vale, vale —dice Madre, que percibe un cierto tono sarcástico.

—¿No es extraño que no tenga dinero? —le pregunta Frank.

—Cálmate. Esos de ahí son suecos. Tienen dos colchonetas ahí muertas de risa.

—Te puedo devolver el dinero cuando cumpla dieciocho —dice Frank.

—No se trata de dinero —dice Madre—. Pero es una estupidez que cada uno tenga su colchoneta. Si preguntas si te la dejan, puede que también llegues a conocer a otros niños.

Frank no pregunta a los suecos. No entiende qué le pasa a su madre. Primero no quería pagar por las servilletas y ¡ahora tampoco por una miserable colchoneta! Seguramente no cueste más que un café y una botella de agua.

Entra en el mar Mediterráneo.

Tiene que mantenerse en un sitio donde Madre pueda verlo en todo momento. En la playa. En el agua. No le dice por qué. ¿Acaso teme que alguien lo vaya a secuestrar?

Madre desaparece durante cinco minutos y regresa con un sombrero de paja. Es un sombrero de playa, dice. Un sombrero de playa y de paseo. Es blanco y trenzado y ligero. Ella jamás ha usado sombreros en casa. Frank recuerda una foto de un libro del colegio, en blanco y negro, de los viejos tiempos. Las mujeres pobres trabajaban en el campo, sin sombrero, mientras que las señoras ricas se sentaban en la terraza a tomarse el té, con sombrero.

—¿A que es bonito? —pregunta Madre.

—¿Era caro? —pregunta Frank.

Quiere que ella le conteste que sí, que era demasiado caro.

—Cincuenta coronas —responde ella.

—¿No es una estupidez que cada uno tenga su propio sombrero? —pregunta Frank.

—¿Qué quieres decir?

—Aquí hay muchos sombreros que nadie está usando. Si

hubieses preguntado si alguien te prestaba uno, puede que también llegues a conocer a otras señoras.

Madre no contesta. Se mete en el agua. Resulta extraño ver a Madre con sombrero. Lleva la espalda más erguida que antes. Es como si el sombrero fuese más alto que ella y tuviese que estirarse para llegar a él.

Madre y Frank desayunan pan blanco con queso y huevo todos los días. Notan que la yema de huevo es mucho más pálida aquí que en casa.

—Creo que en Noruega las gallinas se alimentan de maíz —le dice Madre—. Comida amarilla da yema amarilla.

—Entonces, si las gallinas comen frambuesas, ¿se vuelve roja la yema? —pregunta Frank.

—No. Solo hablamos de tonos de amarillo. ¿No habéis aprendido nada sobre los huevos en el colegio?

—Estoy en quinto curso —dice Frank.

—¿Y?

—He aprendido a escribir *huevo* y a cocer huevos. No sabemos más que eso.

Madre menea la cabeza.

—¡Es increíble que no os hayan enseñado a batir huevo con un tenedor!

Madre siempre suele batir los huevos con un tenedor, aunque tengan una casa llena de electricidad.

—Podemos usar la batidora —dice Frank.

—¿Y qué pasa si se va la luz?

—Tampoco tenemos que ponernos a batir huevos justo cuando se va la luz —replica Frank.

Madre no le contesta. En lugar de eso está pendiente de la mesa de al lado. Hay una familia china de cuatro. Al menos parecen chinos. Los cuatro tienen el pelo negro y corto y llevan gafas. El padre hace mucho ruido al comer. La madre sorbe con descaro cuando bebe. La hija eructa varias veces. El hijo tira la corteza del pan debajo de la mesa sin que sus padres le digan nada. Cuando acaban, arrastran las sillas con estruendo y las dejan de cualquier manera. Parece que las sillas pertenezcan a otras mesas. En la suya quedan diez o doce platos sucios y un número todavía mayor de tazas y vasos, esparcidos por la mesa, además de latas y cuchillos y cucharas y servilletas arrugadas. Debajo de la mesa hay un tenedor y nueces y queso y una tarrina de yogur.

—Son de Asia —murmura Frank—. Aquellos a los que vamos a ayudar.

—Nunca había visto tal descaro —dice Madre—. ¡Así es exactamente como jamás voy a dejar que acabes tú!

—Parece que vengan de un país de manazas —dice Frank.

Cuando Madre se acaba el desayuno, recoge las migas en el plato, apila los platos y las tazas. Enrolla la servilleta y la coloca en la taza superior. Así les facilita el trabajo a los que vayan a recoger.

El tercer día en la playa es idéntico a los dos primeros. Frank nada un poco mar adentro y luego vuelve, con la nariz y los ojos por encima de las olas. Madre lee y toma café. Hace calor. Se untan crema solar. Un hombre con una caja sobre los hombros grita «cucuruza», pero nadie le pide que se pare. Dos niñas pequeñas están junto a la orilla e intentan pasarse una pelota la una a la otra. Gritan de alegría cada vez que consiguen darle tres veces o más.

—Frank —dice Madre.

—Sí —responde Frank.

—Estabas suspirando.

—¿Sí?

—Sí. ¿Te aburres?

—No —contesta Frank.

—¿Seguro?

—Sí.

—No te estarás empezando a aburrir ya, ¿no?

—No —dice Frank.

No ve a Magnus por ninguna parte. No está en el paseo marítimo y tampoco en la playa. Frank está tumbado en la hamaca, mirando a dos chicos en el agua que se lanzan una pelota roja entre sí. Hablan a voces y se divierten.

Un minuto más tarde dice:

—Aquí se pueden alquilar bicicletas. Podemos ir en bici hasta el final del paseo marítimo y luego volver.

—Yo prefiero quedarme aquí tumbada, descansando —dice Madre.

—No cuesta mucho. Es casi gratis.

—No tiene nada que ver con el precio —dice Madre—. Es maravilloso no hacer nada. Leer un poco. Dormir. Bañarse. No llevar casi nada de ropa. ¡Broncearse!

Así es la vida de rico, piensa Frank. Uno no tiene que hacer nada. Solo estar tumbado bajo una sombrilla y descansar y descansar, mientras los de su clase tienen que estudiar y estudiar.

Frank tiene una semana entera de recreo. Puede estar de recreo el resto de su vida, pero no es divertido estar solo en el recreo.

Madre se mete en el agua. No nada mucho, solo se mete hasta los hombros y salta un poco para que las olas no le salpiquen la cara. Cuando vuelve a la orilla, le ponen otro café y una galletita. Frank espera a que se haya acomodado en la hamaca.

—Mamá —dice.

—Sí —dice Madre.

—¿No resulta extraño que yo no tenga dinero?

—Yo te doy todo lo que necesitas.

—Si me dieses algo de dinero, no tendría que molestarte cada vez que quiero algo —dice Frank.

—No es molestia —dice Madre.

—A lo mejor a ti no te parece molesto, pero a mí me parece que es molestar.

—¿Qué es lo que quieres? ¿Un refresco?

—No —dice Frank—. Ahora mismo no quiero nada, pero si paso por delante de una tienda, quizá me apetezca algo, y entonces tendré que pedirte dinero. Es un poco molesto. Sería mejor si me dieses algunos billetes de cien.

—¿Billetes de cien? Tienes pantalones cortos y gafas de sol. Es lo único que necesitas aquí —dice Madre.

—A lo mejor me apetece otra cosa —dice Frank.

—¿Y qué podría ser?

—No lo sé. Un libro.

—Aquí no venden libros en noruego.

—O unos prismáticos.

—No puedes usar prismáticos en la playa —dice Madre.

—Un par de zapatillas —dice Frank.

—Por mí perfecto. Pero no tenemos sitio en la maleta. Espera a que volvamos a casa. Entonces te compraré unas buenas zapatillas.

Hay un claro punto final tras las oraciones de Madre. Frank no pregunta nada más. Ahora entiende cómo es ser un gato. Frank tuvo uno cuando era pequeño. El animal tenía que maullar para entrar en casa. Maullar delante de la nevera. Maullar para volver a salir.

Una hora más tarde, Frank ve a Magnus. Está más allá de las boyas, dormitando sobre una colchoneta que se mueve arriba y abajo. De todas partes llegan sonidos alegres. La gente disfruta de lo que quiere disfrutar. Helados. Libros. Palas y arena. Un novio o una novia. Si el jefe de Gobierno de este país apareciese caminando para preguntar:

—¿Se lo están pasando bien ustedes?

Todos responderían:

—Sí, gracias, ¡muy bien!

De repente, de la nada, Madre dice:

—¿Frank?

—¿Sí?

—¿Qué mano usas cuando te limpias atrás?

—¿Cómo?

—¿Qué mano usas cuando te limpias atrás?

127

—Eh... ¿a qué te refieres?

—Yo creo que la izquierda. Yo lo hago. Lo he intentado con la derecha, pero no me sale.

—No hace falta que hables tan alto —dice Frank.

—Aquí solo hay extranjeros —dice Madre—. ¿No os ha hablado de eso la enfermera del colegio?

—No.

—A veces, cuando me duele el hombro, es difícil llegar atrás del todo. Entonces debería usar la otra mano.

—Mamá —dice Frank.

—No eres lo suficientemente mayor como para comprenderlo, pero poderte limpiar el culo tú mismo es un lujo.

—Esos de ahí son suecos —susurra Frank.

—Esto es importante —dice Madre—. Imagínate cuando seamos mayores. Necesitaremos ayuda. ¿Te imaginas cómo te sentirías si otras personas tuviesen que limpiarte el culo?

—No —dice Frank.

—Por lo tanto, es importante mantenerse flexible.

—Entiendo.

Frank asiente para convencer a Madre de que lo entiende. Cuando vuelva a casa, los compañeros de clase le preguntarán qué ha hecho. Teme tener que responder: «He untado crema solar en la espalda a mi madre y he intentado limpiarme el trasero con la otra mano».

Tendrá que ocurrir algo más, ¿no?

Algo emocionante.

Algo que pueda contar a Oskar y a Denisa cuando vuelva a casa.

Mira a Magnus. Magnus lleva gafas de sol, pero parece que mire hacia la playa, hacia donde está Frank. Este levanta levemente la mano y saluda tan discretamente como le es posible, de la misma manera que hace el rey desde su balcón el día nacional.

Frank espera un minuto más. Luego dice:

—Tengo que ir al baño.

Dice que no quiere ir al baño cutre que hay en la playa. Madre le entiende perfectamente. Quiere subir a la habitación. No hace falta que ella lo acompañe, dice. Solo se tardan dos minutos en subir.

Madre saca la llave.

—Prueba con la otra mano —dice.

Frank se sabe el código de la tarjeta de Madre. Ha observado el dedo de Madre muchas veces. No lo ha hecho con ninguna intención. Simplemente, lo ha visto. Tampoco puede sacarse los ojos para no ver un código. Se encierra en la habitación. Alguien ha entrado para hacer las camas y dejar toallas blancas limpias. El bolso de Madre está colgado en el respaldo de una silla. En el bolso está su cartera. Madre no se la quiere llevar a la playa. Frank se mira los dedos. Tiene granitos de arena. Se sopla para quitárselos. Madre no debe encontrar la cartera con restos de arena. En la cartera guarda la tarjeta de crédito. En la tarjeta hay dinero. Madre podría haber evitado esto si no fuese tan tacaña. Es culpa suya. Puede decírselo si lo descubre, que no se podía haber esperado otra cosa.

Tienen mucho dinero. Son millonarios. ¿Y no van a gastar nada?

¿Quién construyó el muñeco de nieve que dio origen al número 8?

¡Fue él!

¿Quién colocó la escoba que lo convirtió en 18?

¡Fue él!

Jamás ha sacado dinero de un cajero antes. Pero tampoco puede ser tan difícil, ¿no? ¿Saldrán instrucciones en la pantalla? No es un robo. Es un préstamo. Toma prestado dinero de él mismo. La mitad es suya. Toma prestado de su propia mitad.

—Has tardado mucho —dice Madre—. ¿Te duele la tripa?

—No —dice Frank.

—¿Vas a bañarte más?

—Todavía no. Pensaba ir a ver a Magnus.

—Creí que no te gustaba.

—No lo conozco mucho.

—De acuerdo. Ten cuidado.

Magnus lo espera en el paseo marítimo. Lleva gafas de sol reflectantes. Cuando Frank lo mira, solo se ve a sí mismo en una versión algo distorsionada.

—¿Listo? —pregunta Magnus.

—Sí —responde Frank.

Camina junto a Magnus por el paseo marítimo. No pasean. Van haciendo eslalon gigante entre los turistas y los camareros. Cuando tienen que colarse entre la multitud, es siempre Frank el que se coloca detrás de Magnus, nunca al revés.

—¿Listo para qué? —pregunta Frank.

—El teatro —dice Magnus.

—¿El teatro?

—Sip. ¿Has ido al teatro?

—No —dice Frank—. O, bueno, sí, una vez el Teatro Nacional Itinerante vino al cole de visita.

—¿Has estado en Roma, en el Coliseo?

—No.

—Pero te suena, ¿no?

—Sí.

—¿Y qué es lo que te suena?

—Que era un gran estadio en el que la gente luchaba entre sí —dice Frank.

—Contra —dice Magnus—. Contra leones e hipopótamos. Esclavos sin armas contra animales salvajes. La gente estaba sentada en las gradas, comiendo y disfrutando. Casi como en los partidos de fútbol de hoy en día, solo que en el Coliseo nunca había tiros libres.

—Lo hemos estudiado en el colegio —dice Frank.

—De acuerdo. Entonces sabrás que el Coliseo está hecho de piedra. No obstante, el escenario de en medio, donde se hacían los combates, era de madera, cubierto de arena. ¿Sabes por qué?

Frank no lo sabe. Sabe poco sobre arena. En casa suele ser Vegard el que habla de arena, sobre qué tipo de arena ha puesto en el foso de salto de longitud.

—Debido a toda la sangre —explica Magnus—. Después de los combates había personas y animales tirados por todas partes, vomitando, sangrando y cagando. La arena absorbía todas las porquerías. Los que recogían después solo tenían que cambiar la arena roja por arena nueva. Se tardaría demasiado en limpiar las piedras si hubiese que frotarlas para eliminar la sangre.

Frank asiente tras la espalda de Magnus. Pasan por delante de una mujer sentada en el suelo con una sábana azul envuelta alrededor del cuerpo. Tiene la piel oscura, africana, y los ojos blancos. Sacude un vaso con monedas. Desprende un olor rancio. La gente se tapa la nariz y da un rodeo cuando pasa junto a ella, de la misma manera que los alumnos del colegio dan un rodeo para evitar a Pål Ojete con sal y su charco.

Magnus dice por encima del hombro:

—¿Te gustaría ver a la gente luchando contra animales salvajes?

—Eh... no lo sé —dice Frank—. Ver a gente asesinada...

—Al final te acostumbras —dice Magnus.

—Pero ¿por qué estamos hablando de esto? ¿Dónde está el teatro del que hablabas?

Magnus se detiene.

—¡Aquí!

Frank mira a su alrededor. No entiende nada. Lo único que ve es gente que pasea de aquí para allá, de camino a la playa o volviendo de ella.

—La gente hace lo que sea por dinero. Si tienes dinero,

puedes crear tu propio teatro, donde sea —dice Magnus. Levanta la mirada y contempla el mar Mediterráneo. Se ajusta las gafas de sol un milímetro mientras dice en voz baja:

»¿Ves a la muchacha que hay a nuestra derecha, la que está limpiando zapatos? ¡No mires descaradamente!

Frank mira con disimulo. Algunos metros más adelante hay una niña con el pelo negro sentada en una banqueta, con un cepillo y un trapo en una caja de zapatos. Mira abatida los pies de la gente que pasa por ahí. Los turistas no llevan zapatos, solo sandalias y chanclas.

—Un poco más allá hay un bar, y allí hay un hombretón con una mujer menuda.

—¿El de los músculos y los tatuajes?

Magnus asiente y extiende una mano.

Magnus es nombre de rey, y la mano de Magnus es una mano real. No pide. Exige, como lo hace la mano de la persona a la que le toca el testigo en una carrera de relevo en clase de educación física. Frank lleva guardado el dinero en los pantalones cortos, en un bolsillo con cremallera. La cremallera antes se abría sin problemas, pero ahora tiene que tirar fuerte para que se abra; es como si los pantalones cortos no quisiesen ir al teatro. La mano de Magnus no se retira hasta que Frank le ha entregado el dinero. Cien euros. Eso son mil coronas. Magnus probablemente se da cuenta de que Frank tiene dos billetes más, que vuelve a guardar en el bolsillo.

—Espera aquí. Esto va a ser mejor que el Teatro Nacional Itinerante.

Frank permanece quieto. Magnus se acerca a la niña. Se agacha para hablar con ella. La muchacha levanta la mirada. Es limpiabotas, sin embargo, no lleva zapatos. Frank no oye ni una palabra. La niña mira hacia la cafetería. Observa a Magnus y niega asustada con la cabeza. Pero entonces descubre lo que Magnus lleva en la mano. Vuelve a echar un vistazo a la cafetería, al billete, a la cafetería, antes de asentir, más al billete que a Magnus.

—Esto puede ser divertido —sonríe Magnus burlonamente cuando regresa.

Frank observa que la niña se mete el dinero en un bolsillo. Después toca el bolsillo por fuera para comprobar que el dinero realmente está ahí. Se levanta y deja sus cosas. Se dirige descalza a la cafetería. Allí se detiene y se vuelve para comprobar que Magnus sigue ahí. Entonces empieza a desplazarse entre las mesas. El hombretón tiene una enorme jarra de cerveza en la mesa y una novia menuda sentada en una silla. La novia lleva un vestido verde y bebe de una copa más pequeña a través de una pajita. La muchacha llega hasta la mesa. Agarra la jarra de cerveza con ambas manos y se la acerca a la boca. El hombre no se da cuenta. Está sentado de lado, trasteando con el móvil. La jarra está prácticamente llena, por lo que apenas necesita inclinarla. Bebe rápido, dando numerosos sorbitos. Cerveza. Es una jarra gigantesca. Casi le cabe toda la cara dentro.

Es la novia la que se percata.

Grazna como un pájaro. El hombre se sobresalta y descubre a una niña desconocida que está bebiéndose su cerveza. Pega un golpe. Una mano enorme. En la mesa. La sal y la pimienta y las servilletas dan un bote. Todo el mundo se percata del estruendo y se gira hacia él. La niña seguramente pretende apresurarse a poner la jarra en su sitio, pero esta se vuelca encima de la mesa. El líquido marrón se derrama sobre el regazo de la novia, que pega un grito y se levanta de la silla de un salto, como si la cerveza fuese una serpiente venenosa. La muchacha intenta salir pitando, pero el hombre la agarra del brazo. Un camarero se acerca a zancadas. Todos, tanto el camarero como el hombre y la mujer, regañan a la niña. El camarero incluso le da un cachetazo en la cara con un trapo. Magnus se ríe. La niña suelta un enorme sollozo. Frank observa que tiene espuma de cerveza alrededor de la boca torcida. El camarero intenta que el hombre la suelte. Conversan rápido en voz alta, cada uno en su respectivo idioma. La niña se tapa el ojo donde la golpeó el trapo. Tras ellos está la novia, mirándose el vestido, que tiene una gran mancha oscura. Parece que se hubiese hecho pis.

—*Sorry* —dice el camarero.

—*Sorry?* —grita el hombre.

—*Sorry, sorry* —insiste el camarero.

Regaña severamente a la niña. Frank no entiende ni una palabra, pero por el tono parece que dice más o menos: «¡Vete de aquí, niña asquerosa, y no vuelvas nunca!». Por fin, la muchacha consigue escapar. Desaparece entre los turistas. El camarero intenta calmar al cliente. Este le muestra el dedo más largo y se marcha. La novia agarra su bolso y escupe a la mesa con desprecio.

Magnus emite unos pitidos. Son risas. Le da un empujón a Frank.

—¿Por qué estás tan serio?

—Solo era una niña pequeña —dice Frank.

—¿Y qué?

—Has hecho que beba cerveza.

—Por mil coronas. ¿No habrías hecho tú lo mismo?

—¿Hacer el qué?

—Beber cerveza, si te dieran mil coronas.

Frank busca a la niña con la mirada. Ha desaparecido. Lo único que queda de ella es la banqueta, el cepillo y el trapo.

—Imagínate que le hubiese llegado a pegar —comenta Frank.

—Nadie pega a las niñas pequeñas. O, bueno, sí, pero no en plena calle.

—¿Y si nos hubiese señalado?

—Entonces le habría exigido que me devolviera mi dinero.

—¿Tu dinero?

—Tú me lo diste.

Frank le da la espalda a Magnus y empieza a caminar bastante rápido en dirección hacia donde está Madre.

—Sí, pero ¡por Dios! —dice Magnus tras él—. ¿Por qué estás de mal humor? Para nosotros ha sido divertido y a ella le hacía falta el dinero. No le hemos hecho daño a nadie.

Frank no responde, simplemente sigue andando.

—Si ha sido un sorbito de nada. Si se lo pidiésemos mañana, lo volvería a hacer.

Magnus tiene que dar largos pasos para seguirle el ritmo. Cuando se cruzan con gente, es Magnus el que tiene que colocarse detrás.

—Esto no tiene nada que ver con el teatro —dice Frank—. El teatro es solo de mentira.

—A los que trabajan en el teatro se les paga por ello —dice Magnus—. Esto es lo mismo. Pagamos a una niña para que beba cerveza y entonces un hombre se enfada y quiere darle una bofetada a la niña y pegarle al camarero, y su novia empieza a llorar y quiere un vestido nuevo. ¡Es divertido!

Frank se detiene. Ha caminado muy rápido. Resuella.

—Es peligroso —dice.

Se ve a sí mismo en las gafas de Magnus; un tipo pequeño y alterado.

Magnus gesticula con las manos, como hacen los futbolistas justo antes de que les saquen una tarjeta amarilla.

—No era precisamente el Coliseo. No ha habido sangre. Y la pareja solo estaba allí, trasteando con sus móviles y aburridos el uno del otro. Ahora tendrán algo de que hablar.

Frank continúa caminando sin decir nada más.

Los pasos de Magnus no le siguen, solo su voz:

—Pues vale, ¡vete a untar crema en la espalda a tu madre! Eso sí que es emocionante.

Frank intenta bañarse, pero no es capaz. Su cuerpo está demasiado enfadado como para bañarse. Permanece en la tumbona, mirando a la gente. Dos chicas están metidas en el agua pasándose una pelota la una a la otra, exactamente como el día anterior. Una de ellas se parece a la niña que acaba de beber cerveza. Gritan de alegría cada vez que consiguen pasarse la pelota más de cuatro veces. Gritan de alegría con la misma intensidad con que la chica de la jarra de cerveza sollozaba.

—La gente que vive aquí ¿es pobre? —pregunta Frank.

—No lo sé —dice Madre. Se ha colocado el libro sobre la barriga. Es como si este intentase abrazarla, como si fueran mejores amigos—. Creo que trabajan en verano y tienen libre en invierno. Pero aquí el verano dura bastante. ¿Por qué lo preguntas?

Frank no responde. Desplaza su mirada hasta un hombre mayor con vello en la espalda. Está en el agua, intentando subirse a una colchoneta. Pertenecen a siglos diferentes, el hombre y la colchoneta. Él quiere pasar un pie por encima de la colchoneta y colocarlo en el otro lado, como si fuese un caballo. Pero su pie está demasiado rígido. Prueba a tumbarse en la colchoneta, atravesado. Se resbala y se cae dos veces.

Intenta subirse de un salto. Entonces el bañador se le baja casi del todo y Frank se echa a reír. Una voz de mujer grita algo en una lengua desconocida. El hombre se ata el cordón del bañador y responde con una sola palabra, sin darse la vuelta. Luego da un par de pasos para acercarse a la orilla e intenta saltar de nuevo sobre la colchoneta. Esta vez, sin embargo, salta demasiado lejos; cae al otro lado y dentro del agua. La colchoneta se da la vuelta, como si hubiese sido objeto de una llave de judo. Frank y otros se ríen a carcajadas. Madre también. Se tapa la boca. Un hombre que está a la derecha de Frank se ríe tanto que le entra hipo. Finalmente aparece la mujer de la voz extranjera. Le sermonea severamente mientras anda de puntillas sobre la cálida arena. Es extraño ver a alguien hablar con tanta severidad al mismo tiempo que camina de puntillas. Acude para ayudarlo a sujetar la colchoneta. A pesar de todo, no lo consiguen. Ella está en medio. Hay olas. Aparecen otras personas con colchonetas. Está mal reírse de los demás, dice Madre riéndose. Frank intenta que sus carcajadas sean lo más silenciosas posible. El hombre mayor seguramente sepa conducir, construir muros y pescar peces, pero no es capaz de subirse a una colchoneta. Finalmente, la aparta con desprecio. La mujer se apresura a ir tras ella para que no se la lleve el viento. Ella le dice algo a él, una frase enfurecida. Él no responde, solo echa a nadar mar adentro.

Nadar sí que sabe.

Sus brazadas son largas, seguras. Cuando se ha alejado de todos los demás, se da la vuelta y permanece tumbado, flotando bocarriba con los brazos extendidos a los lados. Se queda allí como un crucifijo, dejando que las olas eleven y hagan descender su cuerpo.

—Míralo ahora —dice Frank.

—¡Oh! —exclama Madre envidiosa cuando localiza al hombre con la mirada.

Es capaz de cabalgar el Mediterráneo, pero no una colchoneta.

Cuando Madre y Frank esperan a que les sirvan la cena, el camarero les trae un platito con aceitunas. Las aceitunas son un pequeño fruto alargado, verde. Son gratis, explica Madre. Frank prueba una. El sabor le resulta demasiado fuerte y amargo, como amoniaco filtrado a través de calcetines viejos.

—No pongas esa cara. Son una exquisitez —dice Madre.

Se mete una aceituna entera en la boca e inmediatamente parece que vaya a echarse a llorar. No obstante, se la traga toda sin rechistar.

—Tienen algo asqueroso por dentro —comenta Frank.

—Anchoas —dice Madre.

—¿Anchoas? ¿Eso no es un pescado?

—Sí.

—¿Cómo es posible? ¿Cómo se puede meter pescado dentro de una aceituna?

—No sé. De alguna manera, lo consiguen —dice Madre.

—¿Hay máquinas que hagan eso?

—Seguramente.

«Imagina que no sean máquinas —piensa Frank—. Imagínate que hay personas sentadas en una larga, larguísima fila metiendo pequeños trozos de anchoa dentro de las aceitunas, empujándolas quizá con la punta de una cerrilla. Imagínate que ese es su trabajo.»

—La comida es cultura. Tenemos que estar abiertos a otras culturas —dice Madre.

Sin embargo, deja el resto de la cultura en el platito. Frank se ha quedado con un sabor desagradable en la boca. Intenta secarse la lengua con una servilleta, pero Madre dice que no es para tanto. En una de las mesas cercanas hay un hombre con barba gris atiborrándose de aceitunas como si fueran cacahuetes, sin hacer mueca alguna.

Frank piensa que puede comprar aceitunas para llevárselas a casa y usarlas como castigo en alguna competición. De minigolf. El que quede en último puesto deberá comerse tres aceitunas rellenas de anchoa. ¡Sin beber! Y no estará permitido tragárselas directamente. Será preciso masticarlas con detenimiento.

Cuando llega la comida, Frank recibe un mensaje en el bolsillo. Es de Oskar.

—¡Ahora tienes que comer! Se te va a enfriar la comida —dice Madre.

—Es sobre el autobús escolar —comenta Frank.

—¿Qué le pasa?

Frank lee en voz alta. Madre mastica lentamente. Levanta las cejas. Enseguida deja de masticar. Permanece quieta con la boca llena de comida.

—No puede ser verdad —declara.

—Aquí lo pone —dice Frank, y le muestra la pantalla.

—No tiene por qué ser verdad por mucho que lo ponga ahí —dice Madre—. Debe de haberlo entendido mal. O exagerado.

—Quizá debería llamarlo —dice Frank.

—No, es demasiado caro —dice Madre—. ¡Ahora tienes que comer!

Frank cena pizza de jamón con piña. Piensa en el autobús

escolar en casa, que ya no está en casa, sino que ha desaparecido, según Oskar. Oskar no lo ha enterrado, aunque le hubiese gustado. Enterrar un autobús entero.

El autobús está saliendo del país con dos adultos a bordo. La conductora y el Rarito. Algunas horas antes, fuera del colegio, se detuvo y la puerta se abrió, y el Rarito estaba ahí como siempre, preguntando lo de siempre:

—¿Vas a Estocolmo?

—No —solía decir la señora tras el volante, ya fuese lunes o viernes. Pero esta vez miró al Rarito y se quedó reflexionando.

Él volvió a preguntar, y entonces ella respondió:

—Sí.

—¿Cómo? —dijo el Rarito. Se sacó las manos de los bolsillos.

—Hoy el autobús va a Estocolmo. ¡Sube!

El Rarito se subió titubeante. Se sentó en el primer asiento. La conductora puso el intermitente.

—¡Ponte el cinturón! Encima de ti verás un botón rojo. Púlsalo si cambias de idea. O si tienes que ir al lavabo.

Él hizo lo que ella dijo, se puso el cinturón, miró el botón, comprobó el cinturón y preguntó:

—¿Está lejos?

—Sí.

—¿Tenemos que comer?

—Sí.

Ella llevaba una camisa azul celeste remangada hasta el codo, de la misma manera que los hombres grandullones se la colocan cuando van a levantar cosas pesadas.

—Entonces no se nos debe olvidar comer —dijo él.

—No. No se nos olvidará.

El autobús tenía un enorme parabrisas. En las casas había más pared que ventanas. En el autobús casi había solo ventanas. De vez en cuando el Rarito echaba un vistazo al botón rojo, pero no lo pulsó. Sobre el parabrisas había un reloj que marcaba la hora.

—Está bien que vaya hacia delante —dijo él.

—¿Qué es lo que va hacia delante?

—La hora. No me gustan los relojes que van hacia atrás.

—¿Hay relojes que van hacia atrás?

—En las películas van hacia atrás. Hasta el cero. Y luego, ¡bum!, explotan.

—En este autobús no tenemos relojes así —dijo la conductora.

A partir de entonces el Rarito pudo contemplar todo lo que iba pasando y no solo el botón de los números rojos. Descubrió un gran río que corría blanco a causa de la velocidad de su caudal. Vio un gato en el tejado de una caseta de perro. Un tractor azul en un campo verde. Una mancha de nieve arriba, en la montaña, que había conseguido escaparse del sol. Un niño que intentaba montar en bicicleta solo. Ver tantas cosas le resultó agotador. Se quedó dormido con la cabeza apoyada en el hombro.

En cuanto se volvió a despertar, la conductora le informó de que había una palanca al lado del asiento. Si la empujaba hacia delante, podía reclinarlo.

Más tarde, aquel mismo día, cuando los niños se disponían a volver del colegio, el autobús no apareció. El director del colegio llamó a la conductora.

—¿A Suecia? —gritó el director—. No puede marcharse así sin más. Necesitamos el autobús. ¡Tiene que dar la vuelta!

La conductora pulsó el botón rojo de su móvil.

—¿Queda mucho para llegar? —preguntó el Rarito.

—No —respondió ella—. ¿Por qué quieres ir a Estocolmo? ¿Conoces a alguien allí?

—No.

—¿A nadie?

—Vi un programa en la tele y me entraron ganas de ir.

—¿Por qué?

—Hay una cafetería.

—¿Una cafetería?

—Preparan un café muy especial. Le añaden leche y luego hacen un dibujo, con la leche, todo tipo de dibujos, de árboles de navidad, corazones, manzanas...

—Pero... —dijo la conductora.

—... o una rosa, lo que sea.

—¿Por eso estamos yendo a Estocolmo? ¿Por una taza de café?

—Saben hacer todo tipo de dibujos, seguramente incluso el de un autobús. Solo les dices: ¡hagan un autobús!, y lo harán.

Ella negó lentamente con la cabeza.

—Es totalmente cierto —dijo él.

—¿Y sabes cómo se llama la cafetería?

—No. Pero tiene paredes amarillas y mesas azules.

Su respuesta le arrancó una sonrisa al mismo tiempo que negaba con la cabeza.

—¿Y tú para qué vas a Estocolmo? —preguntó el Rarito.

—¿Yo? —respondió ella, y se quedó pensando un buen rato.

Durante todo el trayecto se había encontrado con otros autobuses con otros conductores a los que saludaba. Ahora se encontraba con autobuses con conductores a los que no conocía.

—Solo estoy siendo amable —dijo ella.

Frank vacía el plato. Su madre le da también los últimos trozos de su pizza. Se toma dos vasos de refresco. Puede pedir otra pizza, dice ella, si él quiere. A uno le entra hambre después de pasar todo el día al aire libre, continúa ella. Frank niega con la cabeza y apila los platos sobre los platos y los vasos en los vasos. Mientras esperan la cuenta, aparece un nuevo mensaje en el bolsillo de Frank.

Es de Oskar.

La Tronca ha muerto, escribe.

Frank y Madre suben en silencio a la habitación. Madre se da una ducha y se sienta en la cama. Frank tiene que hacer los deberes. Madre suda sin parar. Bebe agua y come patatas fritas A través de la puerta del balcón les llega el sonido de los turistas bañándose, hablando y paseando.

—Imagina morir en una cuneta —dice Madre.

Tiene la mirada perdida.

Frank lee en el libro de ciencias naturales. Trata sobre la Luna. La Luna emplea un mes en dar la vuelta a la Tierra. La palabra «mes» guarda relación con la Luna. Pone que en la parte trasera del satélite no vive gente, tal y como se creía antiguamente. Bueno, tampoco en la parte delantera. Y viene que la Luna es la que crea las mareas altas y bajas, la que arrastra e impulsa el agua que hay en la Tierra. Cuando hay marea alta en un sitio, hay marea baja en otro. Jamás hay marea alta o baja en todas partes.

—Bueno —dice Madre—. La Tronca era mayor. Seguramente tendría unos ochenta años.

Frank cierra el libro.

Intenta imaginarse cómo será esta lección de ciencias naturales en casa. Quizá apaguen la luz del techo y vean un corto sobre la Luna. A continuación, antes de que Jørgen encienda la luz, Edel soltará algún comentario, por ejemplo:

—¡A mí no me gusta la marea baja!

—¿Por qué no? —preguntará el profesor.

—Queda muy feo cuando el agua se retira. Ovas y algas y... ¡qué asco!

—Sí —dirá Aleksandra—. Más o menos como cuando los hombres adultos se inclinan hacia delante y se les ve la piel entre la camisa y el pantalón.

—Sí, qué asco —exclama Edel—. ¡Con la raja del culo al aire! ¡Es como la marea baja!

Después el profesor concluirá con algo positivo y dirá que la Luna es un precioso adorno en el cielo y que cuando está llena se debe tener a alguien para dar un paseo cogidos de la mano.

—Cuando uno ronda los ochenta debe conocer sus limitaciones. ¿Verdad, Frank?

—La gente hace lo que sea por dinero —responde Frank.

—Yo no le he pedido que ande por ahí —continúa Madre.

—No habría estado andando por ahí si no fuera por el buenillón —dice Frank.

Sale al balcón. Hay un borde azul oscuro alrededor de la piscina. Vista desde arriba, la piscina parece un cuadro que puede colgarse en la pared. Gente en bañador y bikini entra y sale del cuadro, o permanece sentada un rato en el marco, con los pies colgando, antes de caer fuera o dentro de este.

En la piscina no hay ni marea alta ni baja. El agua permanece al mismo nivel todo el rato.

Madre envía a Frank para que baje a comprar más patatas fritas. Fuera del quiosco está Magnus. Frank intenta pasar de largo, pero Magnus extiende la mano de forma adulta y un poco extraña. Frank se la coge de un modo algo más juvenil.

—Lo de la niña tal vez fuera pasarse un poco —dice Magnus.

—Sí —afirma Frank.

—Quiero decir, no para mí, pero sí para ti. En casa juego bastante a videojuegos. Ahí le volamos los sesos a la gente de un disparo y, finalmente, la arrollamos con una excavadora. Uno se acostumbra a cosas bastante fuertes. Por lo tanto, no había imaginado que ver a una niña bebiendo cerveza te fuese a conmocionar.

Frank no responde.

—La próxima vez encontraré algo mejor —dice Magnus.

—¿La próxima vez?

—Sí —dice Magnus.

—De acuerdo —dice Frank.

Frank y Madre pasan la mayor parte del resto de la noche trasteando cada uno con su móvil. Madre lee las noticias de casa. No viene nada de la Tronca, comenta. Sin embargo, pone que el autobús escolar ha desaparecido y que los padres tienen que llevar ellos mismos al colegio a sus hijos. Algunos padres están enfadados. Otros comprenden que la conductora necesita tener vacaciones. Frank ha enviado una foto de sus pies a casa, con la playa y el mar de fondo. Pasa un buen rato antes de que reciba respuesta. Viene de Denisa. Le envía una foto que se ha sacado ella misma, con un matamoscas reposando sobre el hombro, como si fuese un rifle. «De casa en casa —escribe—. Es un acto de bondad. ¡Cuéntaselo a tu madre!»

Es una buena idea, piensa Frank. Si hubiese estado en casa, podría haber acompañado a Denisa. Hay bastantes moscas en las casas. Si se deja abierta la puerta del jardín unos minutos, entran moscas que luego no encuentran la salida. Van zumbando de una ventana a otra. Las moscas creen que las ventanas son salidas. Rebotan contra el cristal, como una piedra sobre la superficie del agua. Se nota que están cabreadas.

Pero Frank no está en casa.

Denisa va sola de casa en casa matando moscas, con tanta vehemencia que se quedan pegadas en su propia sustancia pegajosa. Una señora la alaba.

—Qué rápida eres —dice.

—Sí —responde Denisa.

—Pero ya está muerta. No hace falta que la mates más veces.

Sigue a Denisa con un rollo de papel de cocina.

—No te caigas —le ruega la mujer—. ¡Vaya, ahora la mosca se marcha a la otra ventana! Espera, ¿estás loca? ¡Deja que aparte los tulipanes!

La señora está enfadada con las moscas porque se posan sobre la comida. En una ocasión, cuando tenía visita, sacó bollos, queso y mermelada y luego pidió a su invitado que se sirviese algún bollo con pasas, pero entonces una de las pasas se despegó y echó a volar.

En la siguiente casa, Denisa se encuentra con un anciano que se las apaña solo.

—Las moscas persiguen la luz —dice—. Para sacar una mosca de una habitación, lo primero que haces es apagar todas las luces. Luego enciendes la luz en la habitación contigua. Entonces se irá hasta allí. Así puedes llevar a las moscas de una habitación a otra hasta llegar a una que no sea tan importante; el cuarto de los invitados, por ejemplo. Cuando has reunido unas cuantas moscas en el cuarto de los invitados, apagas la luz del techo y abres la ventana. Entonces salen volando.

En clase de plástica Denisa ha fabricado unas tarjetas con su nombre y su número de teléfono. Las reparte en todos los buzones. Cuando a la gente le entra una mosca insoportable en casa, pueden llamarla y pedir que acuda.

—¿Eso es todo? —pregunta Oskar.

—No. Cuando ven lo rápida que soy, me piden ayuda también para otras tareas. Arrancar el cortacésped, por ejemplo. La gente mayor no es capaz de tirar de la cuerda con la suficiente fuerza. Han perdido maña en las manos. ¡Pero yo sí tengo maña!

—¿También cortas el césped?

—No, solo les arranco la máquina y luego ellos mismos cortan el césped.

—Supongo que es un acto de bondad —dice Oskar, y examina la tarjeta que ha hecho Denisa—. Pero no creo que te haga ganar el buenillón.

Después del desayuno, al siguiente día, Madre y Frank visitan una pequeña tienda de frutas y verduras. Madre compra tomates; Frank, caramelos de fruta. De camino al hotel ve dos lagartijas y a una anciana sentada en un balcón, hablando con la patata que está pelando. Al menos eso es lo que parece. Entonces Frank oye una voz procedente del interior de la casa. Probablemente sea su marido.

—¿Puedo irme hoy con Magnus? —pregunta Frank.

—Supongo que sí —responde Madre—. Es un poco disoluto, ¿no?

—Un poco —dice Frank, aunque no está seguro de qué significa disoluto.

—¿Qué hacéis juntos?

—Solo paseamos.

—Que no te engañe para subirte a la banana acuática.

—No, no.

—Y no quiero despertarme y verte en un paracaídas.

—No, qué va —dice Frank.

—Me lo tienes que prometer —dice Madre.

—Te lo prometo —dice Frank.

Frank intenta caminar como cuando un crucero turístico entra en un fiordo. Magnus va unos pasos por delante, buscando algún teatro. No obstante, enseguida abandonan el paseo marítimo y se dirigen al puerto deportivo, pues hay un grupo de personas contemplando un barco, o un yate, como dice Magnus. Un yate es un barco grande. En la cubierta del yate hay un hombre con el cráneo reluciente, lleva un bañador azul y gafas de sol negras. A su alrededor, en la cubierta blanca, hay tres chicas con bikinis de diferentes colores. Rosa, marrón y blanco. En la parte de atrás del yate hay al menos dos mujeres más.

—Jolines —dice Magnus.

En el grupo de personas que están mirando solo hay hombres. Al parecer algunos hablan del yate, mientras que los otros solo miran a las mujeres. Ahora una chica delgada se acerca al hombre con una copa delgada. Su bikini parece estar hecho de oro. Uno de los hombres entre la multitud silba. Ninguno de los que están a bordo parece inmutarse.

—Cinco mujeres —dice Magnus—. ¡Así es ser rico!

—Quizá sean sus hijas —dice Frank.

Magnus se parte de risa.

—Por la edad, podría ser —añade Frank.

Magnus y Frank tienen que ponerse de puntillas para ver. La mujer de la copa fina besa al hombre calvo en la cabeza antes de marcharse. A él se le dibuja una sonrisa torcida en el rostro y le mira el trasero a la chica.

—Están con él por su dinero —dice Magnus—. Y él está con ellas por lo que ya sabes. Apuesto a que bajo la cubierta hay una cama gigantesca en la que caben todas las chicas. Y que allí está prohibido llevar ropa. Habrá bikinis desparramados por todo el suelo.

—Hum —dice Frank.

—Así es como morirá.

—¿Cómo?

—Se tropezará con un bikini y se golpeará la cabeza contra un pomo de oro.

Un hombre que está delante de Magnus, con barba y una enorme barriga peluda, se gira y dice en noruego:

—Es la mejor forma de morir, tropezarse con un bikini y morirse por un golpe contra un pomo de oro.

Frank no sabe nada de barcos. Prefiere mirar a las mujeres. Sus tangas son tan pequeños que desaparecen entre sus nalgas. Tienen que volver a sacarse la tela con los dedos. A causa de las minúsculas braguitas se les ha bronceado el trasero. Frank está bastante seguro de que él tendrá el culo pálido toda la vida. Madre también. Madre lleva una braguita de bikini enorme y tiene el pecho pequeño. Las mujeres del yate tienen unos pechos bastante grandes. Frank sabe bien que muchos hombres compran revistas en el quiosco con mujeres extranjeras desnudas, con pechos falsos. Hay gente que trabaja de eso, convirtiendo los pechos pequeños en grandes. Frank no le ve el sentido. Debe de ser difícil hacer salto de longitud con unos pechos grandes.

El hombre calvo vacía la copa de un trago. Después se inclina hacia delante e intenta poner el recipiente en equilibrio sobre una de las nalgas de la mujer del bikini blanco. Ella se ríe. Las otras chicas también. El hombre levanta el dedo índice con severidad. Quiere que haya silencio. Nada de risas. Pretende colocar la fina copa en una nalga y, por ello, la nalga no puede estar agitándose a causa de las risas. Entonces nadie más debe reírse, pues resultaría contagioso, dice el dedo índice. Coloca la copa en el lugar que piensa que es más estable. Sus dedos se despegan lentamente de la copa y —¡tatatachán!— la copa reposa tan estable como si estuviese en una mesa. Las otras mujeres aplauden, y algunas personas del grupo que hay en el muelle también.

El hombre se recuesta y contempla su obra.

—Mariana —grita a voces.

La mujer del bikini dorado enseguida acude con una nueva copa.

Él se la bebe y vuelve a inclinarse hacia delante. Con la cabeza algo ladeada, estudia las nalgas de la mujer del bikini blanco. Quiere colocar una segunda copa en la otra nalga. Las mujeres ya han empezado a reírse. Él levanta el dedo índice. Deben permanecer en silencio. Tiene que concentrarse. No se trata de un vaso de leche común. Se trata de una fina copa alta que debe permanecer en equilibrio sobre una superficie viva. Las mujeres callan. La muchedumbre en el muelle calla. La primera copa, en la primera nalga, apenas se mueve al compás de la respiración de la mujer que hay debajo. El hombre se seca las puntas de los dedos en el bañador y se las sopla para que no se peguen a la copa, según entiende Frank. Emplea solo dos, colocados en la parte superior. Va bajando el pie de la copa hacia la piel de ella. Tiene que encontrar el punto adecuado. Frank observa que Magnus se muerde el labio inferior de la emoción. La mujer del bikini blanco permanece totalmente quieta. El hombre se concentra y Frank comprende que esto es lo que le gusta hacer en su tiempo libre: balancear altas copas vacías sobre nalgas femeninas bronceadas. Las puntas de los dos dedos se coordinan con los ojos que hay detrás de las gafas de sol. Los dedos abandonan la copa a tientas. El hombre levanta lentamente la mano. Ambas copas quedan en pie, como en una mesa. Sin embargo, el hombre levanta ambos dedos índices. No solo debe haber silencio. Debe haber un silencio doble. No ha acabado. Algo más va a ocurrir.

—*Nazdarovie!* —exclama.

Frank no sabe qué significa. Es extranjero. La mujer, sin embargo, debe de haberle entendido porque, de repente, las dos copas chocan entre sí con un sonido claro y tintineante, como cuando dos personas hacen un brindis.

—¡Ostras! —dice Magnus.

Las copas se escurren de las nalgas. La muchedumbre

grita de regocijo. Las chicas de la cubierta aplauden de manera boba. Si una mosca se hubiese colado entre las palmas de sus manos, no le dolería. El hombre se reclina satisfecho en la silla.

—¿Has visto eso? Lo ha hecho con los músculos del culo —dice Magnus—. Ha brindado con dos copas sin usar las manos.

—Parecía que lo había hecho antes —comenta Frank.

En ese mismo instante Madre llama diciendo que Frank lleva demasiado tiempo fuera y que ella tiene hambre y que debe volver para almorzar. Frank dice «sí» y «de acuerdo» y «enseguida». Magnus sonríe frustrado. No hay nada que Magnus deba hacer. Él hace lo que quiere. Cuando alguien dice «debes hacer esto, debes hacer lo otro», él hace lo contrario.

—Tienes que esperar —dice Frank.

Magnus extiende la mano. Frank vacila un instante. Tiene la esperanza de que la cremallera de los pantalones cortos se atasque, pero en esta ocasión se abre con facilidad. Saca un nuevo billete del bolsillo y lo coloca en la mano extendida de Magnus.

Madre quiere probar una cafetería nueva para almorzar. Caminan lentamente por el paseo marítimo, en sentido contrario al habitual, y ocupan una mesa con un mantel a cuadros azul.

—Sería más bonito si los cuadritos fuesen rojos. Es más italiano —dice Madre.

—No estamos en Italia —puntualiza Frank.

—No, pero igualmente. Quizá puedas preguntar al camarero.

—¿Preguntarle el qué?

—Si nos puede poner un mantel a cuadros rojo.

Frank echa un vistazo a las otras mesas. Todas tienen manteles azules.

—No sé cómo se dice «rojo a cuadros» en inglés —dice él.

Madre parece decepcionada.

—Aún no lo hemos dado —explica Frank.

—De acuerdo —dice Madre.

Cada uno hojea su menú en silencio.

—A lo mejor lo aprendemos en la ESO —añade Frank.

Madre no responde. Pide una ensalada. Frank pide una tortilla. Tiene cebolla, pero tal vez se pueda apartar. Mira su móvil. No hay ninguna novedad. Esperan la comida, seguramente media hora, sin apenas intercambiarse ninguna palabra. Cuando Madre se va al servicio, él se pregunta si realmente tiene que ir al servicio o si se marcha para alejarse de la silenciosa mesa con mantel azul.

Justo después de que hayan traído la comida, Frank recibe un mensaje. Cree que será de Oskar o Denisa, pero resulta ser de Edel. Jamás ha recibido un mensaje de Edel antes.

—La comida se enfría —dice Madre.

—Es de Edel —dice Frank.

—Vaya nombre para ponerle a una hija —comenta Madre.

Come ensalada con pollo y daditos de queso. La tortilla de Frank lleva huevo y trozos de salchicha y champiñones y cebolla.

—Escribe que tenemos que volver a casa —dice Frank.

Madre sonríe brevemente.

—¿Está enamorada de ti?

—No —responde Frank—. Escribe: «¡Mi perrita ha desaparecido! ¡Volved a casa!».

—¿Qué quiere decir con eso? ¿Se supone que tenemos que interrumpir nuestras vacaciones y volver a casa para buscar a un perro?

—Quiere decir que ha ocurrido porque nosotros estamos fuera. O porque tú estás fuera. Tú eres la que decide sobre el buenillón y, cuando no estás en casa, la gente deja de portarse bien.

Madre resopla con la nariz.

—¿Y eso qué tiene que ver con el perro de Edel?

—Seguramente piensa que alguien se lo ha llevado.

—¡Uf! —resopla Madre—. Si yo me fuese a llevar algo, lo último que se me ocurriría sería el perro de Edel.

Frank está de acuerdo. *Chuchi* es un perrucho asqueroso que no ha aprendido a mantener el hocico cerrado. Corretea por el pueblo ladrando a todo y a todos, como si fuese más grande de lo que es en realidad.

—Están ocurriendo muchas cosas extrañas en casa ahora. Primero encuentran a la Tronca en la cuneta, luego el cortacésped de Helge Myr, después el autobús escolar se va a Suecia y ahora la perrita de Edel —enumera Frank.

Madre mastica. Eso es bueno. Cuando tiene la boca llena de comida, es probable que tenga que pensar en vez de hablar.

—Tal vez se esfuercen menos cuando yo no estoy —dice ella—. Pero eso no quiere decir que se conviertan en ladrones de perros de la noche a la mañana. Lo de la Tronca fue muy triste. Pero todo lo demás que me cuentas son solo nimiedades.

—¿Nimiedades? —pregunta Frank—. ¿Que el autobús escolar se haya ido a Suecia?

—Eso es casi tan insignificante como una picadura de mosquito —dice Madre.

Frank aparta un trozo de cebolla con el tenedor, arrastrándolo hasta el borde del plato, de la misma forma que un profesor se lleva a un alumno ruidoso fuera de clase.

—Tú misma lo dijiste cuando nos fuimos. Esperabas que no nos estuviésemos marchando demasiado pronto. Esperabas que portarse bien se hubiese convertido en una costumbre.

—Efectivamente —dice Madre—. Pero los perros y los gatos desaparecen a menudo. Solo quieren tomar un poco el aire. Luego regresan al cabo de unos días y siguen exactamente igual que antes, solo que con un poco más de hambre.

Frank mastica lentamente. Niega con la cabeza.

—Yo creo que nos marchamos demasiado pronto. Creo que irá a peor. Creo que esto solo es el principio.

Magnus no ha almorzado. Solo ha estado esperando. Promete que enseguida Frank verá algo que jamás ha visto antes. Bueno, Magnus no sabe lo que Frank habrá visto antes, pero está bastante seguro. Solo está a dos minutos de distancia. Frank sigue a Magnus por el paseo marítimo, como un bote salvavidas arrastrado por un yate. Pasan por delante de la azulada mujer africana que pide limosna. Se arrastra a cuatro patas recogiendo moneditas del suelo. Alguien debe de haberle pegado una patada a su vaso, con o sin intención. Cuando levanta la vista, la mirada de Frank se cruza con la suya. Un par de ojos blancos sin hogar sobre una nariz torcida.

Se detienen en una parte completamente normal del paseo, junto a un hotel, una cafetería y pequeñas casetas con accesorios de baño de plástico. Desde el paseo marítimo hasta la playa hay un muro corto y empinado. Si uno se cae, se hará un poco de daño. Por eso se ha instalado una barandilla.

—El chico del pantalón corto rojo y la camisa blanca —dice Magnus en voz baja.

—¿El que bebe agua? —pregunta Frank.

Al otro lado de la barandilla hay un muchacho que se toma el último trago de una botella de plástico.

—Acabo de encontrármelo —dice Magnus—. Estaba haciendo cola fuera del servicio.

El muchacho parece autóctono. Tiene algo que ver con el porte, la espalda recta y los hombros puntiagudos, como si estuviese preparado para salir corriendo e ir a buscar algo. La mayoría de los hijos de los turistas son más redonditos.

—¿Va a hacer algo? —pregunta Frank.

—Sí, si no haré que me devuelva mi dinero —responde Magnus.

—¿Tu dinero?

Magnus asiente. Frank quiere protestar, decir que es su dinero, pero se da cuenta de que el gesto con la cabeza es una señal para el muchacho.

Frank no sabe qué va a ocurrir. ¿O en el fondo lo sabe? Se inclina sobre la barandilla. Sobre la arena, justo debajo del muchacho, hay dos personas tomando el sol. Una mujer y un hombre. Están un poco gordos. Cada uno está tumbado boca arriba sobre su toalla. La mujer lleva gafas de sol. El hombre se tapa los ojos con una camisa.

Las primeras gotas alcanzan a la mujer. Frank observa que su cuerpo da un respingo. Pero no grita. Lo que cae sobre ella no está frío. Levanta la cabeza y mira al hombre. Seguramente piensa que él le está gastando una broma. Sin embargo, él está tumbado con la camisa sobre los ojos, sin moverse. A continuación, se da cuenta de que no son solo gotas lo que la cae encima. Es un chorro. Se da la vuelta, mira hacia arriba, descubre al muchacho del chorro. Pero no grita. Quizá no dé crédito a lo que ve. Ve algo que jamás ha visto antes. No es hasta que el muchacho desvía el chorro hacia el hombre que grita como un grajo, y el hombre se asusta, ya sea por el grito o por el chorro, o por ambas cosas. Ella grita en una lengua desconocida, señalando al muchacho, un chico desconocido en lo alto del muro que está orinando encima de ellos. El hombre también grita, algo amenazante, pero es grande y pesado, atrapado en su propio cuerpo, necesita tiempo para ponerse en pie y mientras tanto el muchacho es capaz de darle en medio de la calva reluciente, haciendo que la orina salpique por todas partes. El hombre suelta un berrido. Frank está boquiabierto. Magnus ríe a carcajadas. Entonces el muchacho no se atreve a seguir. Se mete el pene en el pantalón corto, al parecer, antes de terminar, salta la barandilla y desaparece entre los turistas que están parados preguntándose de dónde vienen las terribles palabrotas.

Los dos de la playa salen corriendo hasta llegar a una escalera de piedra que lleva al paseo marítimo, donde estaba el muchacho. Ambos maldiciendo mientras corren. Maldicen a todos los que están a su alrededor. ¿Nadie lo vio? ¿Por qué diablos no lo detuvo nadie? ¿Está todo el mundo ciego? Pero nadie los puede ayudar. Una mujer señala en la dirección en la que desapareció el muchacho, rápido como una lagartija, por un callejón que se bifurca en dos.

Magnus celebra el incidente comprando dos helados. Intenta dejar de reírse. Cuando ve la cara de Frank, tiene que reírse todavía más.

—¿No lo has visto? ¿Cuándo le ha dado en toda la calva?

—Sí —responde Frank. Coge uno de los helados.

—¿No te ha hecho gracia?

—No.

—¿Por qué no? ¡Si ha sido tronchante!

Magnus le pega un buen bocado al helado. Frank se limita a mirar el suyo.

—Imagina que lo pillan.

—Sí, ¿y qué?

—Le habrían dado una paliza.

—Sí, ¿y qué?

—Podría habernos señalado.

—Lo habríamos negado rotundamente. O habríamos salido por patas.

Frank niega con la cabeza. Se alejan del quiosco y hacen zigzag entre la gente que va en sentido contrario. Magnus devora su helado. Frank le da un pequeño bocado; lo mantiene frente a él, casi como una vela.

—Un recuerdo para toda la vida —dice Magnus.

—¿Le has pagado de antemano? —pregunta Frank.

—Sí.

—¿Por qué simplemente no cogió el dinero y se piró?

—Era un tipo honesto. Se lo noté.

Magnus se introduce el palito en la boca y lo chupa, como si hubiese absorbido una parte del helado. Frank no es capaz de comer más. El helado se derrite y va cayéndole por los dedos.

Cuando llegan al próximo quiosco de helados Magnus va a buscar servilletas. Tira el helado de Frank a la basura y le entrega las servilletas, como si fuese un niño pequeño.

—Simplemente ha sido divertido —dice Magnus—. Nosotros nos hemos reído. Él ha recibido el dinero. Mil coronas por un trabajo que ha durado unos pocos segundos. Que no te dé lástima. Ahora puede comprar comida para su familia.

—¿Tú lo habrías hecho? —pregunta Frank mientras se limpia los dedos. Las servilletas son lisas y rígidas y apenas absorben nada.

—No es lo mismo —dice Magnus.

—¿Cómo que no es lo mismo?

—Si me hubiesen pillado, me habrían dado una buena paliza. Los niños pequeños, sin embargo, se escaquean de casi todo.

Siguen caminando sin decir nada. Frank está rodeado de gente que está pasando un rato agradable. Magnus lo mira de soslayo.

—No ha resultado herido.

—Pero los dos turistas... —declara Frank.

—Jopé, solo ha sido pis, eso se les va con una ducha. Piensa en todos los que mean en el agua. Bañarte en agua

159

con pis es lo mismo que que te meen encima antes y luego te duches.

Frank mira a Magnus.

—¿La gente se mea en el agua?

—Claro que sí, por Dios.

—¿Quién te lo ha dicho?

—Es de lógica. Piensa en toda esa gente que bebe agua sin parar y nunca va al baño. ¡Por algún lado tendrá que salir!

Frank no lo había pensado. Él pensaba que todos los que se meten en el agua lo hacen para bañarse, pero resulta que algunos lo hacen solo para hacer pis.

—¿Tú lo haces?

—Sí, hombre.

Delante de ellos va una chica con una colchoneta. Cuando su madre la llama se gira, y entonces le da en el culo a un camarero con la colchoneta, de modo que a él casi se le cae un almuerzo al suelo. Frank tiene que sonreír.

—Pero ha sido emocionante verlo, ¿verdad? —pregunta Magnus.

—No ha sido bonito —dice Frank.

—No te he preguntado si ha sido bonito. Te pregunto si ha sido emocionante.

—Bueno... —responde Frank.

No hay más que decir. Han llegado. Ven a sus madres.

Frank se tumba al lado de Madre. Madre está roncando bajo el sombrero. El libro sube y baja sobre su barriga, como una colchoneta entre las olas.

—Tampoco está permitido aparcar ilegalmente en Suecia. Pero cuando de todos modos vas a aparcar donde no está permitido, está bien tener un autobús entero para hacerlo —dice la conductora—. Entonces no es tan fácil que retiren el vehículo.

—Paredes amarillas y mesas azules —dice el Rarito cuando se alejan del autobús. Tienen el pelo revuelto después de dormir en un asiento doble cada uno.

—No es necesario que sea exactamente la misma cafetería —dice ella.

—Sí —insiste él.

—Tampoco es que te vayas a beber las paredes y las mesas, ¿no? Lo importante es el café, ¿verdad?

—Es cierto —dice él.

Entran en varias cafeterías pequeñas. El Rarito quiere que ella pregunte en el mostrador. Aquí no hablan noruego. Sin embargo, se da cuenta de que cuando ella habla en noruego, la entienden. Es otro país, pero tampoco es tan diferente. Hay muchas palabras iguales, explica ella. «Hola», por ejemplo, se dice *hej*. Y «no» es *nej*. «Yo» se dice *jag*. «Leche» y «taza» se dicen igual que en noruego. Sin embargo, «tú» se dice *ni*.

—¿Yo soy *ni*?

—No tú. La palabra «tú».

El hombre detrás del próximo mostrador tiene barba y bigote. Sus labios apenas son visibles.

—¿Tiene café? —pregunta el Rarito.

—Sí, esto es una cafetería —responde el hombre.

—¿Sabe hacer dibujos con la leche?

—A-a —dice el hombre. Significa sí.

—¿Árboles de navidad?

—A-a.

—¿Corazones?

—A-a.

El Rarito reflexiona.

—¿Gatos?

—¿Gatos? —repite el hombre.

—A-a —constata el Rarito.

—No, eso no sé hacerlo. Lo siento. Pero si quieres, puedo intentarlo.

—No —dice el Rarito—. ¿Sabe hacer ruedas? ¿Como las de un autobús? ¿Neumáticos?

El hombre mira al Rarito, a la mujer que lo acompaña y al Rarito de nuevo.

—A-a. ¿Neumáticos de verano o de invierno?

Entonces el Rarito se ríe tan escandalosamente que los otros clientes levantan la mirada.

Ocupan una pequeña mesa redonda. No hay espacio para platos grandes. Es una mesita de café. Ambos contemplan sus tazas.

—Solamente tiene neumáticos el primer trago —dice ella.

—Entonces, que el primer trago sea grande —dice él—. Para que no resulte aburrido beberse el resto. Y necesitamos dos tazas.

—¿Dos?

—Un autobús tiene cuatro ruedas —dice él.

—Es cierto. Necesitamos dos tazas cada uno.

Es un recuerdo de la excursión en autobús que pueden compartir; el haberse bebido una taza de café con una rueda cada uno.

El Rarito se acerca la taza a la boca y le da un gran trago caliente. Cierra los ojos. Tiene la rueda de leche en la boca. Deja que ruede un poco antes de tragársela. Cuando abre los ojos, mira al techo.

Allí arriba cuelgan viejas cafeteras, como si existiese un cielo para ellas.

Pronto regresarán a casa. Tardarán mucho. Pero es pan comido ir en autobús durante muchas horas cuando uno lleva las ruedas dentro.

Madre se duerme enseguida. Frank se queda despierto pensando un poco, se da la vuelta y piensa un poco más. En la habitación hay un silencio casi absoluto. Solamente se oye el zumbido del sistema de ventilación del techo. Se pregunta cómo será la casa del muchacho que orinó sobre los turistas. Se pregunta si Madre hace pis en el mar Mediterráneo. Se pregunta cómo van las cosas en casa, si al día siguiente también ocurrirán sucesos extraños con los perros, los autobuses o las cuerdas de arranque. Piensa en el minigolf. Denisa le ha enviado una foto. Un niño de tercero está sentado junto a la niña en el árbol. No puede significar otra cosa que no sea que él ha igualado el récord. Ahora hay dos en el árbol. No debería ser posible. Un mocoso de tercero que apenas ha salido del arenero y que ¡ni siquiera ayudó a poner ni un simple clavo! Es lo último que piensa Frank antes de quedarse dormido.

Denisa y Oskar también duermen, en casa, cada uno en su cama, cada uno en su casa. Hay un silencio casi absoluto en el pueblo. Quizá ocurra algo extraño mañana también, piensa Frank.

Pero no hace falta esperar hasta la mañana siguiente. Algo ocurre aquella misma noche, cuando la calma se cierne sobre el pueblo. Cada media hora se oye el rumor de un coche, después solo cada hora. A las cuatro de la mañana pasa el último. Es la que trabaja en la gasolinera, que va a casa. En cuanto entra en el pueblo descubre una luz que no ha visto antes. No proviene de una bombilla encerrada en una farola. La luz está libre y viva. Frena. Procede del jardín del granjero. El granjero quema desechos a menudo, pero nunca lo hace en el jardín, y jamás de noche. Ella da la vuelta con el coche y se dirige a toda prisa a su casa, toca el timbre, golpea la puerta, intenta llamarlo por su nombre, pero no recuerda cómo se llama, solo grita «oiga, oiga, tiene que salir, ¡hay un incendio!».

El granjero sale con la camiseta puesta del revés. Va corriendo a por una manguera que cuelga en la pared. En el jardín hay cuatro hogueras. Desenrolla la manguera y empieza a echar agua sobre la más cercana, pero enseguida se da cuenta de que es demasiado tarde. Lleva demasiado tiempo encendida. Cada pista de minigolf está coronada por un gorro alto y amarillo. Se conforma con regar con agua el césped de alrededor de las pistas para que las llamas no se extiendan bajo la tierra.

La mujer resuella.

—Huele a gasolina —dice.

Ella sabe cómo huele la gasolina. Trabaja en una gasolinera.

—Sí —dice él.

—Esto ha sido provocado.

—Sí —dice él.

Corta el agua. La manguera cuelga lánguida entre sus manos.

—Escucha —dice.

Las hogueras chisporrotean. Parece que las pistas compitan por quemarse lo más rápido posible.

—¡Qué horror! —dice ella.

Se acercan el uno al otro. Junto a una hoguera parece conveniente estar cerca de alguien.

—Sí —dice él—. Pero es hermoso contemplar las hogueras. Y escucharlas. Antes solía pasar más tiempo en la naturaleza. Encendía una hoguera y dormía en una tienda de campaña.

Ella lo mira a él.

Él observa las hogueras, dentro de ellas.

—Si hubiesen sido mías, habría estado muy cabreada —dice ella.

—¿A qué te recuerda el sonido?

—¿El sonido de las hogueras?

—Sí.

Ella se queda escuchando mientras niega con la cabeza.

—A nada.

—Es como el crujido cuando se abre un papel vegetal en el que hay envuelto una enorme merienda.

Él la mira.

Ella mira las hogueras.

—Yo uso tartera.

Aunque acaba de desayunar, Frank no puede esperar más. Levanta un dedo y dice:

—*Hello!?*

El señor con la caja al hombro se detiene sorprendido.

—*One cucuruza, please* —dice Frank.

En el extranjero habla en inglés. El hombre se acerca a la tumbona y levanta la tapa de la caja. Sale vapor.

Saca una *cucuruza*.

Probablemente es fácil verle a Frank en la cara lo decepcionado que queda.

Una *cucuruza* solo es una mazorca de maíz. Se la pone en la mano, envuelta en una servilleta. Está caliente. Y tiene algo untado. Es posible que sea mantequilla, pero, aun así, Madre le paga. Frank espera a que el hombre se haya marchado antes de darle un mordisco. Los granos de maíz parecen minúsculos gorros de baño amarillos y tienen más o menos el mismo sabor. No es de extrañar que las ventas vayan fatal. Visto así, el hombre podría igualmente anunciar que vende «colinabo» o «pepitas de uva».

—Es cultura —dice Madre.

Ella se come el resto.

A Magnus le gusta hablar. A Madre también, aunque ella habla sobre todo de temas a los que Frank no sabe qué responder. Lo que Magnus dice le parece más importante. En este instante, por ejemplo, cuando los dos están sentados en un banco a la sombra, observando a unos ancianos que juegan a la petanca, Magnus pregunta:

—Qué prefieres, ¿divertirte o aburrirte?

—¿A qué te refieres? —pregunta Frank.

—¿A qué me refiero? Es una pregunta sencilla. ¿Prefieres divertirte o aburrirte?

—Divertirme, está claro.

—Bien. Yo también lo prefiero. ¿Prefieres estar contento o de mal humor?

—Es la misma pregunta —comenta Frank.

—¿Contento o de mal humor?

—Contento —responde Frank.

—Entonces somos iguales —dice Magnus—. Yo quiero divertirme. Quiero estar contento. Pero resulta que todo el mundo no puede estar contento todo el rato. Si ganas un partido de fútbol, por ejemplo, te pones contento. Los que pierden, sin embargo, se ponen de mal humor.

—O de pimpón —dice Frank.

Magnus arruga levemente la nariz, pero continúa:

—Hay situaciones en las que todo el mundo está triste. Por ejemplo, si un conductor atropella a una niña. Entonces la niña tiene que ser ingresada en el hospital, los padres llorarán y el conductor se sentirá triste. Todos sufrirán, ¿verdad?

—Pues sí —constata Frank.

—También puede ocurrir lo contrario. Digamos que un niño no es capaz de pronunciar el sonido de la erre, aunque lleva mucho tiempo intentándolo. No obstante, al final lo consigue. Entonces el niño se pondrá contento, los padres estarán aliviados, y el profesor, orgulloso. Todos se ponen contentos.

—Sí —confirma Frank.

—Sin embargo, al cabo del tiempo, todo se equilibra. Cuando la niña esté en el hospital llorando, sus compañeros de clase la visitarán; le llevarán chocolatinas y cómics del pato Donald y todo eso. Le escribirán palabras bonitas en la escayola. Se reirán a carcajadas. Todo ya no es tan triste. Y el niño que finalmente ha conseguido pronunciar la erre empezará de repente a usar palabras con erre que jamás ha dicho antes. Palabras que se ha guardado dentro. Posiblemente palabrotas. Por ejemplo...

Magnus se queda pensando.

—Caraculo —sugiere Frank.

—Ja, ja. Sí —dice Magnus entre risas—. ¡Guarro!

—Vete a freír espárragos —suelta Frank.

—Vete a la mierda —prosigue Magnus.

Ambos se parten de risa. Se imaginan a un niño que lleva toda la vida diciendo palabras dulces sin la erre, como «campánula azul» y «almohada de sofá» y que, cuando por fin aprende a pronunciar la erre, suelta de repente a su madre:

—¡Vete a la mierda, guarra!

Los hombres que juegan a la petanca los miran. A lo mejor piensan que Frank y Magnus se ríen de su juego.

—En definitiva —dice Magnus. Se quita las gafas de sol y las gira para mirarse y comprobar que su peinado está como debe—. Todo se equilibra.

—Sí —dice Frank—. Pero...

Magnus niega con la cabeza.

—No hay peros.

Magnus va a comprar helados. Él invita. Frank observa a un hombre que pasa rápidamente de largo. Se tira un pedo por cada paso que da a medida que camina por el paseo marítimo. Pedeo marítimo. Seguramente esté buscando un lavabo. Puede ser que la gente haga pis en el mar, piensa Frank, pero no cree que nadie haga caca en el agua. Magnus regresa con dos cucuruchos de helado de bola. Los cucuruchos son una buena idea. Sirven para sujetar y de comida a la vez. Uno es de chocolate con virutas de regaliz. El otro es de regaliz con virutas de chocolate.

Magnus mastica el cucurucho ruidosamente y con la boca abierta, como si fuese de China.

—Pero no está bien —apunta Frank— pagar a la gente para que sea mala.

—Lo único que no está bien es que pagamos demasiado —dice Magnus—. Aquí es caro. En Asia puedes encargar un asesinato por doscientas coronas.

—¿Un asesinato?

—Sí. En Asia hay mucha gente que se dedica a eso, a ser asesino a sueldo.

—¿Y tú qué sabes de eso?

—Solo lo sé. ¿No hay nadie a quien quieras matar?

—¿Matar? No.

—Quiero decir, no hacerlo tú mismo, sino si quieres que alguien sea asesinado.

—No —dice Frank.

—¿No hay ningún abusón en tu cole?

—Pues sí. Pero lo único que hace es salpicarnos de barro y fanfarronear.

Se oye el penetrante ruido de una máquina. Frank se da la vuelta y ve un cocodrilo llenándose de aire.

—¿No te gustaría que estuviese muerto? —pregunta Magnus.

—No —dice Frank—. Solo que estuviese lejos.

—Eso es más caro —comenta Magnus.

—¿Qué es más caro?

—Llevar lejos a la gente. Se tarda más. Y se corre el riesgo de que vuelva, y de tener que hacer que se lo lleven muchas veces. Es más sencillo matarlo y ya está.

De repente Frank siente que Magnus coloca una mano sobre su muslo. Con la palma de la mano hacia arriba. La mano reposa ahí, vacía.

—¿No te quedaba uno?

Magnus realiza unos gestos breves y seductores con la punta de los dedos.

—Pero... —dice Frank—. Acabamos de hablar de... No estarás pensado...

—Frank —dice Magnus.

—Sí —dice Frank.

—No estamos en Asia.

Frank hubiese preferido que Magnus dijera «¿estás loco?» o «¿qué piensas de mí?». Ahora parece que el único motivo por el que Magnus no quiere encargar un asesinato es que no está en Asia.

Frank se palpa el bolsillo de los pantalones cortos por fuera. Ahí guarda el último billete.

—No sé, la verdad —dice Frank.

—Tú decides —dice Magnus.

Frank se muerde el labio inferior. Cuando se está en compañía de gente como Magnus, uno se pasa el tiempo mordiéndose los labios. Magnus es el opuesto de Madre. Madre quiere pagar para que la gente se porte bien. Magnus paga a la gente para que se porte mal.

—Nada de cerveza —dice Frank.

—De acuerdo.

—Ni de pis.

—Está bien.

—Y nada de niños —añade Frank.

—¿Nada de niños? —repite Magnus.

—¡No!

La mano se cierra en un puño. Los dedos se juntan, palpándose, como si debatiesen las exigencias de Frank. Las uñas se clavan en la piel. A continuación, la mano se abre. Reposa sobre su muslo, vacía y pesada. Frank saca el último billete. Está doblado varias veces. Lo coloca en la mano, que se cierra enseguida, como una planta carnívora atrapando una mosca.

Magnus se levanta.

—Tendrás noticias mías a lo largo del día. Tengo que pensar un poco.

Frank aún no sabe nada de lo que ha ocurrido en casa. Nadie se lo ha contado, aunque huele a humo frío en todo el pueblo. Todos los niños están en el colegio y no pueden pasar por la casa del granjero para echar un vistazo. La mujer de la gasolinera puede ir, después de dormir un rato. Rolf, el granjero, ha reunido toda la ceniza de las hogueras y se la ha llevado. Ahora permanece sentado en la escalera, contemplando las manchas negras sobre la hierba.

—He llegado demasiado tarde —dice ella.

Se apoya en el capó del coche, como si solo pasase por allí de casualidad.

—Voy a echar de menos los sonidos —dice él.

—¿De qué? —le pregunta ella—. ¿De las llamas?

—No. De los niños. Solía dejar abierta una ventana para que entrasen los grititos de alegría. Las discusiones. Las palabrotas.

Ambos contemplan las negras huellas rectangulares. Son sus ojos los que las buscan. Esta es la oscuridad que compartían anoche. Las marcas son restos de la noche anterior.

—¿Sabes quién ha sido?

Él niega con la cabeza.

—Es un acto terrible. Todo el pueblo te alaba por lo bien que has tratado a los niños —afirma ella.

—¿De veras?

—¿Vas a hacer otros?

El sol ciega al granjero y la mira con un solo ojo, como si le estuviese guiñando un ojo todo el rato.

—¿Niños?

—No. Je, je. ¡Circuitos de minigolf!

Niega con la cabeza sin meditarlo antes.

—Ahora mismo no —dice—. ¿Quieres un café?

—¿Cómo? No, gracias.

—¿No tienes tiempo?

—Pues no —responde ella—. Tengo que...

Sin embargo, no se le ocurre nada que tenga que hacer. Lo único que tiene que hacer es ir a trabajar, y todavía queda mucho para eso. Trabaja de noche.

—Quiero decir... Prefiero no tomar café. Duermo muy mal. Trabajo por las noches.

Al cabo de un rato están sentados sobre la escalera con un vaso de refresco de sirope rojo cada uno. Ella está igual de cómoda en una escalera que en una silla. Agita la mano para ahuyentar a un insecto que pretende meterse en su vaso.

—Anoche no recordaba si te llamabas Rolf o Lars, por lo que solo me puse a gritar «¡oiga!» —dice ella.

—Lars es mi hermano. Yo me llamo Rolf —constata Rolf.

Hasta que no es la hora del recreo en casa y del almuerzo en el paseo marítimo, no le llega un mensaje a Frank. No es un mensaje cualquiera. Es un mensaje que le provoca escalofríos, por mucho calor que haga.

No es capaz de seguir comiendo, a pesar de que acaba de empezar, a pesar de que es la mejor pizza del mundo, con masa fina y queso y jamón y piña.

—¿Qué ocurre? —dice Madre cuando le ve la cara.

Frank relee las cuatro palabras que Oskar ha escrito una y otra vez.

—Pero ¿qué pasa? —exclama Madre en voz tan alta que varias personas en las mesas de alrededor los miran.

—Las pistas de minigolf —susurra Frank.

—¿Qué pasa con ellas? —pregunta Madre.

—... Se han quemado —dice Frank.

Madre baja el tenedor.

—¿En casa?

—Sí.

—¿Quién te lo ha contado?

—¡Oskar!

—¿Dice algo más?

—No.

—¿Hay alguna foto?

—No.

Frank y Madre se miran sin parpadear. A Frank se le humedecen los ojos. Madre le entrega una servilleta. Deja el tenedor sobre el plato. No dicen nada más. Seguramente podrían haber dicho algo. Podrían haber continuado con la conversación más o menos así:

—Las pistas de minigolf no se queman por sí solas, ¿no?

—No.

—¿Crees que alguien lo ha hecho a propósito?

—Sí.

—¿Quién podría ser?

—No lo sé.

Sus miradas deambulan perdidas unos instantes, buscando una especie de telón de fondo para sus pensamientos. La superficie de la mesa es el mejor.

La Tronca en la cuneta, la cuerda de arranque de Helge Myr, el autobús escolar en Suecia, la perrita de Edel y ahora —lo peor de todo— ¡las pistas de minigolf! En casa anda suelto un buenillón, sin correa. El buenillón llama a todas las puertas y después sale corriendo. En cada casa hay un buenillón colgado en la pared, haciendo tictac; coronas arriba, segundos abajo.

Madre trabaja en un hogar para manazas. Ahora ella misma ha sido una manazas al dejar suelto un buenillón.

—Nos marchamos demasiado pronto —dice Frank.

Madre no responde.

«¡Mira hacia fuera!», ha escrito Magnus.

Frank y Madre están en la habitación. Madre se ha quedado dormida en la cama. Frank no comprende cómo es capaz de dormir en un momento así. Se supone que él tiene que hacer los deberes, pero ahora mismo no puede concentrarse en un libro. Sus pensamientos están a ocho horas de distancia, en un jardín quemado. Envía preguntas a Oskar que este no responde. Denisa solo envía fotos de moscas que ha matado. Sopla para quitar los granitos de arena que hay sobre libro.

El mensaje de Magnus hace que Frank salga al balcón. La piscina está llena de gente. Un niño va dejando huellas húmedas a lo largo del solárium. El socorrista está sentado en su alta silla, mirando el móvil. Frank oye el rumor del mar Mediterráneo.

Se va al baño y vuelve a leer el mensaje de Magnus. Se fija en el punto del signo de exclamación. Es negro. Le recuerda a la pista de minigolf, que ahora seguramente es igual de negra. Frank jamás podrá sentarse en el árbol del jardín de Rolf, el granjero, a regocijarse. Cuando termina en el baño, oye ruidos que provienen de fuera. Hay una conmoción allí fuera. Voces. Madre sigue en la cama, durmiendo. Frank se apresura a salir al balcón. Ahora resulta fácil saber hacia dónde mirar. Solo hace falta seguir la mirada de todos los demás, hacia la plataforma de salto. La gente se ha levantado de las tumbonas. Los niños que hay en la piscina nadan rápidamente hacia el bordillo. El socorrista, en un bañador rojo, se apresura a bajar de su alta silla. Todos miran hacia el trampolín.

Arriba hay una mujer.

Una mujer azul de África.

Frank la ha visto todos los días, en el paseo marítimo, con monedas en un vaso. Ahora se encuentra al borde del trampolín. Una tela azul envuelve su cuerpo. Frank no sabe si está inclinada hacia delante para mirar el agua o si realmente es así, con la espalda encorvada.

El socorrista la llama, severo, como si le hablase a un perro. La gente le grita en varios idiomas. Es probable que estén gritando «¡baja!» o «¿estás loca?». El trampolín apenas se balancea bajo su cuerpo escuálido.

Frank sabe que justo al lado de la piscina hay una señal. La señal indica que todos deben ducharse antes de meterse en la piscina. La mujer azul lleva bastante tiempo sin ducharse. Frank ha pasado muchas veces por delante de ella en el paseo marítimo. Huele a calcetines sucios, aunque no lleva calcetines. Por la noche tal vez duerma en un banco, o debajo de uno.

Frank avista a Magnus mientras el socorrista sale corriendo hacia la escalerilla Se encuentra en medio de un grupo de gente, junto a la piscina. El resto de las personas del grupo permanecen boquiabiertas. Magnus tiene los brazos cruzados y una amplia sonrisa en la cara. Saluda a Frank. Frank no le devuelve el saludo, sino que mira al socorrista, que ahora ha subido hasta arriba del todo. Seguramente haya realizado un curso para aprender qué debe hacer cuando surge un problema, al menos en el agua. Pero ahora está subido a una altura considerable, a pocos metros de una mujer indigente al borde de un trampolín. No se acerca a ella. Permanece quieto. Seguramente quiera evitar tocarla. Debe intentar hablar con ella para que entre en razón. Intenta atraerla, intenta amenazarla. Frank ha visto a menudo este tipo de escenas en las películas. Una persona está sobre un tejado a punto de saltar. Entonces llega un detective e intenta convencerla de que no lo haga. La cosa suele ir bien después de que uno de ellos, o ambos, hayan estado colgando un rato de un canalón, a veces solo con las puntas de los dedos.

El socorrista se acerca lentamente a ella. Le ofrece su mano mientras habla con voz hipnótica, como si conversase con un animal asustado. Frank coloca las manos sobre la barandilla que tiene delante. Alrededor de la piscina todo el mundo permanece inmóvil. Hay un silencio tan grande que Frank mira por encima del hombro para ver si Madre se despierta.

Cuando el socorrista se aproxima demasiado, la mujer se deja caer. Esto ocurre con más rapidez aquí que en las películas. En las películas hay mucha más conversación. Aquí ella simplemente inclina la espalda un poco más y se deja caer. Pero, como en las películas, el socorrista se echa hacia delante y agarra un extremo de la tela azul con su fuerte brazo. Es suficiente para suavizar su caída. Durante un segundo ella queda suspendida en el aire mientras la tela se tensa alrededor de su cuello. Emite un gorgoteo desagradable, como cuando Frank está mal de la tripa e intenta vomitar sin que le salga nada. La multitud empieza a dar voces, el socorrista la suelta y la mujer cae al agua.

No sale inmediatamente a la superficie. Todos los que Frank ha visto saltar emergen enseguida. La mujer azul permanece bajo el agua, envuelta en la tela.

—Se ahoga —grita Frank desde el balcón.

Nadie lo oye a él, porque todo el mundo está gritando exactamente lo mismo. Cada uno en su idioma. Y a pesar de la cantidad de gente que hay alrededor de la piscina, nadie hace nada. Esperan al socorrista. ¡Para algo es el socorrista! ¡Tiene que saltar y salvarla! Este, en cambio, se queda contemplando la escena estupefacto antes de empezar a descender la escalerilla.

Frank cruza la habitación y sale por la puerta a toda prisa. Baja las escaleras corriendo, descalzo; solo se oyen las plantas de los pies contra los peldaños, deprisa, deprisa, deprisa. De repente se acuerda de una clase de ciencias naturales. Les pusieron una película sobre pájaros carpinteros y los sonidos que estos emiten. Realizan un repiqueteo golpeando el pico contra el tronco de un árbol. Lo hacen para llamar a otros pájaros carpinteros, o quizá para espantarlos. Son unos sonidos resonantes, casi como las erres cuando tienes frío y dices «¡brrr!». Después de ver la película, el profesor dejó que los alumnos golpeasen la cabeza contra la pared para simular el sonido. No con fuerza, solo con rapidez, para que entendiesen cómo es ser un pájaro carpintero. Lo hicieron hasta que empezaron a golpear la pared desde el aula contigua.

Sus pies corren velozmente. Con la misma velocidad con la que Madre bate los huevos. Recuerdan al sonido del pico contra el árbol, solo que más silencioso, como si se tratase de un pájaro carpintero tímido. Si se cae ahora, se hará daño, tal vez mucho. Se abalanza a través de la puerta de la planta baja, pasa por delante de unas macetas de flores, observa a una serie de personas en el borde de la piscina. En medio de la piscina Frank localiza la tela azul de la mujer. Ve un hueco entre dos hombres y grita «¡fuera!», pero corre más rápido que el sonido y cuando los dos hombres se echan a un lado, él ya está saltando.

Al sumergirse, Frank traga agua. Está más caliente que la del mar y sabe a cloro en vez de a sal marina. Alguien grita. ¿Puede ser que sea a él? Emerge a la superficie con los ojos llenos de agua. No tiene tiempo para secárselos. Escupe el agua que tiene en la boca, la garganta y los pulmones. Intenta sacudirse la de los ojos mientras bracea hacia donde cree que está la mujer azul. Vuelve a oír gritos. Tal vez quieran guiarlo. No hace falta. Ya palpa la tela entre las manos. Ahora también ve la tela de color azul marino con un ojo, a través de una película de agua con cloro. Intenta agarrar un pie o un brazo o el cabello de la mujer. Pero no encuentra ningún cuerpo. Se frota un ojo para quitarse el agua. La tela azul está vacía. Debe de estar sumergida, piensa. Toma aliento rápidamente, se tapa la nariz y se zambulle con tanta rapidez como puede. Vuelve a oír gritos. «Oye, oye», gritan. Frank abre los ojos e intenta ver bajo el agua, pero está ciego. Recorre a tientas la húmeda oscuridad, sin aire. No puede más. Se rinde, se rinde a la luz.

En el borde de la piscina el socorrista está de rodillas, inclinado sobre un esqueleto moreno. El bañador del socorrista está mojado. El esqueleto resuella. El socorrista ya ha sacado a la mujer. Debió de haberlo hecho mientras Frank bajaba corriendo las escaleras. Lo único que ella lleva puesto son unas bragas grises. El socorrista le da unos golpecitos leves en la mejilla. Ella responde tosiendo. Frank está solo en el agua. La gente le rodea como un marco. Algunos lo señalan y se ríen a carcajadas. Seguramente haya resultado muy cómico el verlo pelearse en el agua, presa del pánico, para salvar una sábana azul.

—¡Frank! —lo llama Madre desde arriba, en el balcón.

Frank arrastra la tela hasta el bordillo la piscina. Sube, retira la tela del agua y la deja como un bulto húmedo junto a los pies de la mujer. Ella se ha acurrucado, haciéndose lo más pequeña posible, y ha empezado a sollozar como una niña pequeña con el rostro arrugado.

El socorrista recoge su móvil del suelo. Frank se da cuenta de que por eso no podía saltar al agua desde el trampolín. Estaba preocupado por su móvil.

Madre acude corriendo, despeinada, mientras Frank sigue respirando con dificultad.

—¿Qué ocurre? —pregunta ella a voces.

Rodea a Frank con los brazos, a pesar de lo empapado que está él y lo seca que está ella. Él busca a Magnus con la mirada. Ha desaparecido.

La mujer ha dejado de llorar. Permanece tumbada en el mismo sitio, rodeándose con los brazos, inspirando y espirando a través de la boca, como si hubiese recorrido una gran distancia a gran velocidad. La gente se aparta de ella. Algunos vuelven a recostarse en las tumbonas.

—Hay algo en el agua —dice Madre.

Un muchacho también lo ha descubierto. Se tira al agua. Hay un trozo de papel flotando en la piscina. Lo saca y se lo muestra a su amigo. Es un billete. Son cien euros.

—¡Con este dinero podemos montarnos en la banana acuática! —vocifera el amigo.

Alguien debería escurrir la tela azul para quitarle el agua. La mujer probablemente no tenga fuerzas suficientes como para hacerlo ella misma. Cuando se levante, quizá tenga que envolverse en la tela empapada y empezar a caminar encorvada y chorreando por el paseo marítimo, como un barco que se está hundiendo en un fiordo.

Frank no consigue dormir. Se imagina a la mujer azul desnuda, en el borde de la piscina, llorando sin parar. Se imagina las pistas de minigolf quemándose sin parar, en el jardín del granjero, y que él mismo se encuentra allí, entre las hogueras, queriendo llamar al 110, pero el número cero no funciona porque Sofie ha dibujado una carita sonriente en su interior y entonces el teléfono no entiende que se trata de un número, y Pål Subnormal también está en el jardín del granjero, asando una salchicha en una de las hogueras. Entonces Frank debe haberse quedado dormido a pesar de todo, porque se despierta y es de noche y alguien está gritando. En otro idioma. Se oyen varias voces. Voces masculinas. Al principio cree que necesitan ayuda. Están discutiendo. O cantando. ¿En inglés? A coro. Frank se levanta y echa un vistazo a través de las cortinas. En un balcón hay un grupo de gente. Beben y cantan. Desde su habitación sale una música tan alta que tienen que gritar para oírse los unos a los otros.

—Menudos imbéciles —dice Madre desde debajo del edredón. Su voz suena como proveniente de un sótano húmedo.

—Son cuatro o cinco —comenta Frank.

—Será posible —dice Madre.

—Creo que dos de ellos están desnudos —dice Frank.

—Esto es un hotel familiar —declara Madre.

—Parece que uno de ellos está meando desde el balcón.

—¡Qué asco! ¿No hay vigilante nocturno aquí?

Todo se equilibra, piensa Frank. Cuando alguien ha pasado un buen día con sol y helados y bañándose, tiene que haber lío por la noche. Se enciende la luz en otras habitaciones. Sale gente a otros balcones. Gritan «*shut up*» y «*be quiet*». No obstante, los jóvenes solo se ríen y los imitan. Poco después se oye el sonido de una botella que se estrella contra el suelo.

—De verdad —dice Madre, y se levanta.

Frank está contento de no ser vigilante nocturno. Debe de ser lo peor que te puede pasar trabajando de noche en un hotel grande: que los huéspedes no estén durmiendo en sus camas, sino que se encuentren cada uno en un balcón insultándose los unos a los otros. El vigilante nocturno debe ir a la habitación de los que arman jaleo y pedirles silencio. Frank se pregunta qué les diría él mismo. Eso no lo han aprendido en el colegio. Han aprendido a pedir la comida en un restaurante: «*I would like a glass of coke, please!*». Y: «*Excuse me, can you tell me the way to the train station?*». Pero ¿qué se puede decir a un balcón lleno de jóvenes borrachos y desnudos que beben, mean y cantan? ¿Se debe llamar cuidadosamente a su puerta y pedir: «*Can you please be quiet, misters?*». ¿O es mejor abrir la puerta de una patada y gritar algo sobre *noise* y *police*?

Otra botella se estrella contra el suelo del solárium, donde la gente se pondrá a tomar el sol al siguiente día.

—Habrá trozos de cristal en la piscina —dice Madre, y se apresura a salir al balcón.

Uno de los jóvenes ha empezado a gritar «cucú». Frank cree que es porque toda la gente que sale al balcón le recuerda al cuclillo que sale de un reloj de cuco. La mayoría se conforma con un par de palabras, como «*hey, you*» y «*stop it*». Solo una voz se distingue de todas las demás. Es la de una mujer que grita: «*If you don't turn off that shit, I come up and kill you all and piss on your graves!*».

Es la voz de Madre.

Madre habla inglés en el extranjero.

Parece que se haya criado en Naciones Unidas.

Todo se queda en completo silencio. Durante varios segundos.

—¿Mamá? —dice Frank.

Posiblemente no hayan visto a Madre, pues no ha encendido la luz de la habitación. Pero al parecer la ven a pesar de todo y entonces Madre recibe al menos dos respuestas. Una es: «*Shut up, you silly cow*». La segunda, que Frank no pilla del todo, acaba en «*... you fat, stinking asshole*». Es decir: «¡Cállate, vaca estúpida!», y «... gilipollas gorda y apestosa».

Frank considera que no es buena idea llamarle eso a Madre. Ahora entra a la habitación pataleando contra el suelo. Las finas cortinas intentan detenerla. Es inútil. Va a recepción a encargarse del asunto, dice.

Cinco minutos más tarde hay un silencio absoluto.

Madre le cuenta que van a echar a los jóvenes. Pero no cree que se vayan a sentir avergonzados por eso. Lo más probable es que les mole que los echen. Alardear de ello cuando vuelvan a casa: montamos tal escándalo que nos echaron del hotel.

Frank se queda dormido con el sonido de una escoba barriendo el solárium. Madre está tan furiosa que no puede dormir. Cuando Frank se despierta, Madre está recogiendo sus vestidos ligeros del armario.

—Volvemos a casa —dice.

—¿Ahora? —pregunta Frank.

—Después del desayuno.

—Pero ¿tenemos billetes? —pregunta Frank.

—Compraremos billetes nuevos —responde Madre.

—¿No será muy caro?

—Me importa una mierda —declara Madre.

En el autobús, de camino al aeropuerto, los muslos de Frank y Madre van rozándose. Frank no ha comprado nada para Denisa y Oskar. Lo único que ha comprado es una lata de aceitunas rellenas de anchoa, por lo que le queda bastante espacio en la maleta. Pero ya es demasiado tarde. El autobús recorre una carretera con muchas curvas a lo largo de la costa. La cabeza de Madre rueda de un lado a otro sobre el reposacabezas. Frank no sabe si es ella misma la que menea la cabeza o si es el autobús.

Levanta la cabeza cuando Frank recibe un mensaje en el bolsillo.

—¿De quién es? —pregunta antes de que le haya dado tiempo a sacar el móvil.

Es de Edel.

—«He encontrado a *Chuchi*» —lee Frank en la pantalla.

—¡Ja! —exclama Madre—. ¡Ves! Vuelven por sí solos. No había más misterio que ese.

Frank lee el resto del mensaje:

—«Un pescador lo encontró en un escollo. Lejos de la orilla. Alguien tiene que haberlo dejado ahí».

Madre se queda mirando durante unos segundos el respaldo que tiene frente a sí.

—¡Mierda!

El mensaje no se presta a malentendidos. Si Madre hubiese llamado al pescador, se lo habría dicho tal cual. Él estaba pasando el rato pescando cuando avistó un ser vivo en un escollo. Un animal de color pardo, temblando de lo empapado que estaba, gimoteando como un pajarito asustado. El perro no podía haber llegado hasta ahí por sí solo. Alguien tenía que haberlo dejado allí. Alguien con una embarcación. Afortunadamente, los últimos días había hecho buen tiempo, sin viento. Una ola fuerte podría haber arrastrado el perro al mar.

Si Madre hubiese llamado a Edel, ella le habría respondido que estaba contenta y furiosa al mismo tiempo. Tiene la intención y la obligación de averiguar quién lo ha hecho. ¿Tal vez sea la misma persona que incendió el minigolf? ¿Tal vez sea Pål? ¿Es posible que Pål Ojete con sal haya salido de noche para incendiar el minigolf? Pero Pål no tiene embarcación. En cambio, Edel recuerda a un hombre que en una ocasión habló mal a la perrita fuera de la tienda. Dijo: «¡Cállate, perrucho de mierda!». ¡Ese hombre sí que tiene bote! Gasolina para el barco y gasolina para provocar un incendio, piensa Edel. Está tan furiosa y envalentonada que se presenta en su casa, llama a la puerta y le pregunta directamente:

—¿Tu perro?

—Sí —responde ella.

—¿En un escollo?

—¡Exacto!

El hombre apesta. No está afeitado. Hay calcetines usados del revés desparramados por el pasillo, y dice:

—Te diré una cosa, pequeñaja. Si hubiese pillado al repugnante chucho ese al que no eres capaz de llevar con co-

187

rrea y que zascandilea por todas partes haciendo sus necesidades, no le hubiese invitado a dar una vuelta en barco. Lo habría ensartado con una horca, lo habría pasado por la trituradora de ramas y luego lo habría usado como abono para mi seto.

Edel se apresura a marcharse de allí.

El resto del día se dedica a acariciar a *Chuchi*, la envuelve en una manta y la mantiene en su regazo. De vez en cuando *Chuchi* empieza a temblar, como si todavía estuviese en el escollo. Finalmente, ambas se quedan dormidas en el sofá, primero la perrita y luego Edel.

—¿Ahora me crees? —pregunta Frank en el autobús.

—Es posible que haya sido un águila —insiste Madre.

Tienen que volver a casa en un avión sin primera clase. Tienen que comprar billetes nuevos. Cuestan varios miles de coronas. Hay poco espacio para las rodillas. No hay ninguna pantalla en la que pulsar. Ningún capitán con el que compartir el aseo. Frank se sienta al lado de una niña que está coloreando el dibujo de un loro. En él hay números, seis diferentes, según el color que se debe usar. La niña pregunta si Frank le puede sujetar los lápices. Considera que es mala idea ponerlos sobre la bandeja, pues entonces se caen al suelo. Frank se los sujeta. Cuando ella no está segura de qué color debe emplear, él asiente o niega con la cabeza. Cuando le entra sueño, cierra los ojos, aunque sigue sujetando los lápices. Se percata de que la niña canturrea un poco mientras colorea. Ocasionalmente le vuelve a colocar un lápiz en el puño y saca otro nuevo. Permanece así como una hora. Cuando por fin llegan y Frank se levanta para bajarse, nota una mano sobre su hombro. Es la madre de la niña.

—Muchas gracias —dice—. Eres un buen chico.

TERCERA PARTE

Rolf, el granjero, acumula un montón de desechos detrás del granero. Allí tira las cosas con las que no sabe qué hacer. Frank se encuentra al lado del montón y les da un puntapié a los restos calcinados de un circuito de minigolf. El trozo de carbón se deshace a causa de la patada. Aparece una mancha negra en la punta de la zapatilla.

—¿Nadie sabe quién lo ha hecho? —pregunta.

—Solo el que lo ha hecho —responde Denisa.

Varios trozos de suelo vinílico han quedado retorcidos No es posible identificar de qué pista procedían. Uno de los vinilos, el de Denisa, era rojo con estrellas. Otro, el de Jørgen, tenía copos de nieve blancos. El tercero era de color azul celeste, del chico que tiene tres gatos y una madre melancólica. Ahora todos los colores se han fundido en el negro. Uno de los tubos de Natalie está ahí tirado, casi aplastado, con forma de boca malhumorada.

—¿Crees que ha sido Pål? —pregunta Frank.

—Pål se dedica al agua —dice Denisa—. Del agua al fuego hay buen trecho.

Rodean el montón contemplando todos los objetos negros. En algún lugar se esconden una lata de piña vacía, vasos de papel con sirope rojo, toallitas con olor a limón, una pelota que el gato intentó atrapar, clavos puestos de manera torcida, la risa burlona de una niña subida a un árbol y un récord que Frank y Denisa jamás podrán batir.

Denisa lo mira. Se muerde el labio inferior para no llorar.

En la escalera de delante de la casa está sentado Rolf, el granjero, con una mujer a la que Frank no conoce. Los cuatro se saludan. Sobre la hierba han quedado las marcas negras y rectangulares de las pistas. Parecen indicar el lugar donde hay que cavar unas tumbas. Las de cuatro hombres de una considerable altura.

—Ha sido muy triste lo del minigolf —dice la mujer.

Su cabello es del mismo color que las marcas en la hierba.

—Mucho —exclaman Frank y Denisa al unísono.

—Fui yo la que descubrió el incendio. Volvía a casa del trabajo en mitad de la noche. Entonces vi que todo estaba en llamas.

—¿Y no viste a nadie?

—No —responde ella.

—¿Nadie que saliese corriendo?

—No. Había un silencio absoluto.

—¿Ha venido la policía? —pregunta Frank.

Rolf, el granjero, niega con la cabeza.

—Les habrás llamado, ¿no?

El granjero, mira al suelo.

—La policía no acude por algo tan insignificante.

—¿Insignificante? —dice Frank.

A nadie se le ocurre nada más que decir.

Frank y Denisa se marchan.

—Papá dice que hay que encontrar al culpable y atarlo a un poste, para que no pueda hacer más daño —dice Denisa.

—Yo creo que hay más de uno —comenta Frank—. Y que esto continuará. Siempre habrá alguien que vaya en cabeza para ganar el buenillón y los demás no querrán que gane. Lo querrán ganar ellos mismos.

—Sí —dice Denisa.

Van de camino a casa de Oskar. Frank no se ha percatado antes de que ella lleva una camiseta nueva. Se la muestra. Es roja y tiene el dibujo de un matamoscas con una mosca muerta pegada. La ha comprado por Internet. Puedes ponerle el motivo que quieras, dice Denisa, cualquiera, y ellos te lo hacen.

Frank no quiere una camiseta nueva. Tiene un tendedero lleno de camisetas.

Frank y Denisa tienen que caminar por la gravilla del cementerio. No está permitido pisar el césped. Es una falta de respeto hacia la gente que se encuentra debajo. Tampoco deben reírse escandalosamente. Se lo ha dicho Oskar. Lo encuentran junto a una lápida gris. Lleva una enorme regadera. En cada lápida hay dos fechas, la primera y la última de la gente que está bajo tierra.

—Hola —saluda Frank.

—Hola —dice Oskar.

A continuación, Oskar podría preguntarle a Frank qué ha hecho durante las vacaciones, y Frank podría haberle hablado de Magnus. No obstante, se limita a regar unas flores azules y amarillas. La tierra marrón claro se vuelve de color marrón oscuro por el agua.

—Nosotros tenemos esas flores en casa —dice Denisa.

—Se llaman pensamientos —comenta Oskar—. Soportan algo de frío, por lo que puedes plantarlas muy pronto en primavera, en abril.

—¿Cómo? —preguntan Denisa y Frank a coro.

Oskar levanta el pitorro para que deje de caer agua.

—Desde abril —repite.

—¿Tú qué sabes de eso? —pregunta Frank.

—Los pensamientos son habituales en las tumbas. Justo como el boj común que veis allí y las plantas perennes —prosigue Oskar señalando otras tumbas.

—Y yo que pensaba que solo te interesaban las excavadoras —declara Frank.

Oskar se acerca a la siguiente lápida. Allí crece algo reseco y morado.

—No todos tienen tiempo para cuidar las tumbas ellos mismos. O hay algunos que viven lejos. Me pagan por hacerlo.

Oskar vierte agua, espera a que la tierra la absorba, vuelve a regar.

Frank señala la lápida que está al lado, donde crece un pequeño arbusto verde con escamas.

—¿Y ese cómo se llama?

—Pino San José —responde Oskar—. Crece solo un par de centímetros al año.

—¿Quién te ha enseñado todo esto? —pregunta Denisa casi gritando.

—Mi padre —dice Oskar.

Frank mira a su alrededor. Hay varios centenares de lápidas contenidas dentro de la cerca blanca. Fuera de ella hay un enorme árbol con pájaros negros posados. En el interior de la cerca hay una pequeña excavadora. Junto a un montículo de tierra hay un hoyo alargado y rectangular.

—¿Es para la Tronca? —pregunta Frank.

—Sí —responde Oskar, y deja la regadera en el suelo. Se acercan al agujero. El montículo de tierra contiene varios tonos de marrón, además de un poco de arena gris y piedras. Huele ligeramente a primavera.

—¿Lo has cavado tú? —pregunta Denisa.

—Un poco —responde Oskar—. Al principio. Pero papá se encargó del final, para que los bordes quedasen perfilados y bonitos.

Frank y Denisa se acercan al borde y se asoman al interior. Algo se mueve por los laterales. Son pequeños escarabajos negros. En el fondo hay agua fangosa.

Denisa respira hondo, sin volver a soltar el aire.

Las negras aves del árbol apenas se mueven.

Finalmente, Oskar pregunta:

—¿Tu madre ha empezado a despilfarrar? ¿Se compró algo en la playa?

—Un sombrero —responde Frank.

—¿Con diamantes?

—Con agujeritos —dice Frank.

Denisa suelta el aire.

Cuando Frank y Denisa se inclinan hacia delante y miran hacia abajo ante sus pies, ven sus propios rostros reflejados en un charco, dentro de una tumba.

—No es una buena idea —les advierte Oskar, un paso por detrás de ellos.

—¿El qué?

—Mirar dentro de una tumba.

—¿Por qué no?

Oskar aparta la mirada.

—No lo sé. Yo solo he dejado de hacerlo.

Frank y Denisa se marchan taciturnos del cementerio. Probablemente aún quede mucho tiempo antes de que acaben en un hoyo así, pero Frank tiene la sensación de llevarse una parte del hoyo consigo. Quizá Denisa sienta lo mismo. Ella no suele estar tan callada.

Afortunadamente, enseguida se encuentran a Edel y a *Chuchi*. Están de camino al puerto para que la perrita revele cuál de los barcos lo llevó al escollo. Frank y Denisa los acompañan. Tienen que caminar detrás de *Chuchi*, porque si van a su lado o la adelantan, empieza a ladrar.

—Está nerviosa —dice Denisa.

—Excitada —la corrige Edel.

En el puerto hay muchas embarcaciones. Todas son blancas y parecen inocentes. Están amarradas al muelle flotante con grandes nudos adultos. Unas pequeñas olas hacen crujir el muelle.

—Vamos a ir hasta el final del muelle y luego regresamos —sugiere Edel a *Chuchi*—. Cuando pasemos por delante del bote en cuestión, debes parar, ladrar.

—¿Parar de ladrar o parar y ladrar? —pregunta Frank.

Edel lo mira sin entender a qué se refiere.

—Es casi como lo de «llamar al timbre de en» —dice Denisa.

Edel niega con la cabeza. Baja una escalera y sale al muelle. La perrita corretea delante de ella con sus cortas patitas. Caminan hasta el final y luego se dan la vuelta. Cuando vuelven, la perra se detiene delante de una de las embarcaciones, un pequeño bote con motor fueraborda, y empieza a ladrar. Exactamente como había previsto Edel. No obstante, en la borda, justo al lado del motor, hay una gaviota posada. El ave no se asusta especialmente; sin embargo, despega y alza el vuelo.

Edel se queda pensativa. Mira al bote y a la perrita, que ladra a la gaviota.

Lleva a *Chuchi* hasta el final del muelle de nuevo, se da la vuelta y regresa. En esta ocasión la perrita hace caso omiso al bote, se limita a pasar por delante con paso ligero, feliz de estar al aire libre, de estar viva, en compañía de Edel.

—Es posible que el barco que buscamos haya salido a navegar —comenta Edel.

—También es posible que la perra se haya olvidado de todo el asunto —sugiere Denisa.

—Eso no es posible. ¿Acaso a ti se te olvidarían tres días y tres noches en un escollo?

—No soy un perro —dice Denisa.

—Los perros son igual de inteligentes que las personas —declara Edel.

—Y por eso tiene que llevar correa, ¿no? —pregunta Denisa.

Dejan que Edel sea Edel y que el perro sea perro y se van a la tienda a comprar golosinas. Frank mira a su alrededor. Mientras estaba de vacaciones, dos señoras han pintado todas las astas de las banderas. Frank no se había fijado en ellas antes. Ahora se da cuenta. La pintura tiene un brillo especial. Parece que cada asta esté esperando con ansia el próximo día oficial de izado de bandera.

—A las dos señoras simplemente las llamamos el Cubo y la Brocha —le cuenta Denisa—. Es porque una de ellas es delgada y la otra gorda.

El Cubo y la Brocha también han pintado rayas sobre el asfalto fuera de la tienda. Ahora los coches pueden aparcar perfectamente en fila entre las rayas, y no al tuntún como antes. Después el Cubo y la Brocha pintaron varias cercas de jardín que estaban descoloridas por el sol y el paso del tiempo. Ahora las flores que se encuentran en su interior parecen mucho más sanas. Se respira el otoño, pero la pintura blanca recién aplicada hace el día más luminoso.

—Creo que tienen grandes posibilidades de llevarse el buenillón —dice Frank.

Eso es exactamente lo que Madre quiere. Ella quiere que la gente haga el bien. El pueblo tiene un aspecto hermoso y ordenado; parece un estuche de lápices de colores con la punta recién sacada y colocados en el orden correcto. En lo que Madre no ha pensado es en la noche, cuando la nueva pintura blanca no reluce. No se sabe qué puede ocurrir cuando alguien está solo en la oscuridad. Si quieres hacer algo que no sea el bien, quizá te descubran, pero si llevas ropa oscura y corres deprisa, nadie te alcanzará.

A la mañana siguiente, cuando el encargado de la tienda llega al trabajo, descubre que alguien ha hecho pintadas en el asfalto, entre las nuevas rayas donde deben aparcar los coches. Han escrito con grandes letras y pintura blanca. Hay palabras como «tarugos» y «arpías» y «pederastas» y cosas mucho peores, y más alejado de la puerta principal pone «discapacitados».

—Pero qué demonios... —susurra el encargado de la tienda.

A lo largo de la mañana aparecen varias personas que aparcan en el sitio en el que pone «tarugos», pero nadie quiere ponerse en las otras plazas.

—Estoy perdiendo clientes —dice el encargado de la tienda. Clientes equivale a dinero. Tiene que eliminar las palabras limpiando con alcohol y una escoba y una manguera a presión.

—Eso es sabotaje —comenta Frank a la hora de la cena.

—Son gamberradas —dice Madre.

—Tienes que entregar ya el buenillón para que esto acabe antes de que ocurra algo peor.

—Todavía no me he decidido —dice Madre.

Ahora todos los niños del colegio reciben una manzana gratis al día. Proceden de la vecina de Oskar, que se sube a una escalera y recoge pequeñas manzanas rojas mientras escucha la radio, afirma Oskar. Las coloca con cautela en cajas y las lleva al colegio. Tienen un sabor dulce. Es muy amable por parte de la vecina de Oskar. Cuando Sofie entró en la sala de profesores para preguntar algo, apenas le respondieron, pues todos los profesores tenían la boca llena de tarta de manzana.

A una muchacha de séptimo curso también se le ha ocurrido algo ingenioso. Tiene una bicicleta con cesta en el manillar. Visita a los ancianos que no pueden salir de casa. Le dan dinero y la lista de la compra, y va en bicicleta hasta la tienda y compra todo lo que pone en la lista, mete la comida en la cesta y regresa en bicicleta. Es muy amable por su parte.

Pål ha vuelto a su charco. Al parecer, ha renunciado a ganar el buenillón. Cuando grita sus insultos, le devuelven el suyo. ¡Pål, Pål Ojete con sal!, gritan los alumnos, a menudo a coro. Él se limita a salpicarles con agua. Es lo más cercano a una fuente que tienen en el pueblo.

Denisa deja que Frank la acompañe a ver a una anciana. La mujer ha llamado diciendo que necesita la ayuda de una persona mañosa. Denisa lleva su matamoscas. Lo agita mientras camina como si fuese una botella de refresco. Cuando llegan, no les deja pasar a la casa. Van a la terraza. La mujer ha colgado sus alfombras en la barandilla y quiere que las sacudan.

—Yo mato moscas, no sacudo alfombras —afirma Denisa.

—Es prácticamente lo mismo —apunta la anciana. Le entrega un sacudidor de alfombras. Se parece a una raqueta de tenis, solo que es algo más flojito.

—No es lo mismo —insiste Denisa—. Las moscas son difíciles de golpear. Estas alfombras son tan grandes que es imposible fallar.

—Bueno, bueno —dice la mujer—. ¡Inténtalo!

Denisa entrega el matamoscas a Frank, se inclina sobre la barandilla y lo intenta. Sale polvo de la alfombra. Se produce un sonido bastante estruendoso. Si todo el pueblo sacudiese las alfombras al mismo tiempo, aquello sonaría como unos fuegos artificiales o una guerra civil.

—Tienes que darle más fuerte —dice la señora—. ¡Te enseñaré!

Coge el sacudidor de alfombras. Golpea con una fuerza mucho mayor de lo que lo hacía Denisa. Las nubes de polvo son gigantescas, como las que levanta un coche que va por el desierto. Golpea la alfombra varias veces. Cada vez sale más y más polvo. Poco a poco, cada vez va saliendo menos.

—Así es como tienes que hacerlo —insiste.

Acto seguido azota a Denisa.

Con fuerza.

En el culo. Mientras se ríe a carcajadas. Vuelve a azotarla una vez más.

—¿Qué haces? —vocifera Denisa, y se cubre el trasero con las manos.

Frank levanta el matamoscas.

—Ha sido una broma —dice la mujer entre risas—. No te he dado fuerte.

—Me arde el culo —grita Denisa.

—De verdad, ¡no exageres!

—¡Maltratadora de niños! —grita Denisa.

Agarra una de las alfombras y la tira por encima de la barandilla de modo que cae al jardín, sobre unos arbustos.

—Oye, ya está bien —dice la mujer. Levanta el sacudidor de alfombras para volver a darle un azote, pero entonces Denisa y Frank echan a correr, y Denisa grita a pleno pulmón:

—¡Socorrooo!

Cuando la mujer va detrás de ellos, doblando la esquina, aparece un vecino. Está podando el seto. La anciana se detiene y baja el sacudidor.

—Me está pegando —grita Denisa.

El hombre mira a una, luego a la otra.

—No ha sido fuerte —dice la mujer.

—Ha sido fuerte —dice Denisa.

—Solo ha sido una broma —dice la mujer.

El vecino no dice nada. Solo las mira. No sabe qué ha

ocurrido, pero si ocurre algo más, lo verá. Cuando ven que no dice nada, ni hace nada, Denisa y Frank se apresuran a salir de allí.

—Me duele —se lamenta Denisa.

Se tapa el culo mientras corre.

—¡Qué tía más loca! —vocifera Frank. Corre junto a ella con el matamoscas en la mano. No puede correr detrás, entonces parecería que la está persiguiendo.

Van corriendo a casa de Denisa para contárselo a sus padres, pero estos declaran que conocen a la anciana y están convencidos de que es un trozo de pan. No tiene maldad ninguna.

—Que no tiene maldad, dicen —grita Denisa, y se lleva las manos al trasero.

Frank no sabe qué hacer. No sería de gran ayuda que él también le tocase el trasero.

Frank la invita a un helado. Se lo comen fuera de la tienda. En el aparcamiento todavía queda rastro de las enormes palabras blancas.

—No sé quién habrá hecho lo de la perra o lo del minigolf o las pintadas, pero sé quién me ha pegado una paliza.

Frank no puede evitar sonreír un poco.

—No creo que esa mujer precisamente haya remado hasta el escollo para dejar allí a la perra.

Denisa levanta la voz.

—No tiene gracia. Estoy segura de que todavía tengo marcas en el culo. Debería vengarme. ¿Tú qué harías?

Frank se encoge de hombros. Sin embargo, Denisa lo mira como si él tuviese una respuesta. O alguna responsabilidad.

Si Frank hubiese tenido dinero, podría haber hecho como Magnus. Magnus pagaría a alguien para hacer algo. Quizá Frank podría haberle pagado a Pål, por ejemplo, para entrar disimuladamente en la casa de la anciana y pegarle con el mismo sacudidor de alfombras, azotarla con fuerza en el trasero mientras duerme en su cama.

Esto es lo que Frank ha aprendido en las últimas semanas: la gente hace cualquier cosa por dinero. Puedes pagar a alguien para que te friegue el suelo cada jueves. Se puede pagar a cinco mujeres en bikini para hacer equilibrios con copas finas sobre sus nalgas y pagar a alguien para que te gire la sombrilla. Puedes pagar a alguien con una cesta en la bicicleta para hacerte la compra si tú mismo no eres capaz de hacerlo.

Por esa misma regla de tres, también puedes pagar a alguien para que le dé una paliza a una persona que se la merezca si tú mismo no eres capaz de hacerlo.

Pero sin dinero no se puede pagar nada.

—Antiguamente uno podía retar a un duelo —dice Frank—. Si alguien había ofendido a otro, por ejemplo, se encontraban al día siguiente en un descampado, cada uno con su pistola.

—No la puedo retar a un duelo —dice Denisa—. ¿Nos imaginas a mí con un matamoscas y a ella con un sacudidor de alfombras? Lo único que ocurriría es que me volvería a dar una buena paliza. Simplemente no entiendo por qué lo hizo.

—Hum —musita Frank.

—¿Qué quieres decir con «hum»?

A Frank casi le queda solo el palito del helado.

—Quizá piense que tienes posibilidades. Que puedas ganar. ¡Por eso te pegó!

Denisa mira a Frank. Enarca las cejas. Tiene helado en las comisuras de los labios. Intenta no sonreír para no mostrar su esperanza, pero no consigue evitarlo.

Al siguiente día no reciben manzanas gratis en el colegio. A Oskar le parece raro: los manzanos de la vecina aún no pueden estar vacíos. Envían a Sofie a la sala de profesores para pedir un clip, pero allí tampoco hay nadie comiendo tarta de manzana. En el recreo Frank y Oskar y Denisa salen corriendo del colegio para comprobarlo.

La vecina está en el jardín, con un rastrillo. No está recogiendo hierba, sino manzanas. En los árboles apenas quedan, pero en el suelo hay al menos cien. Las reúne en pequeños montones.

—¿Qué ha ocurrido? —pregunta Oskar a voces.

—Esta noche no ha hecho viento —responde ella.

Se acercan. Frank recoge una manzana. Tiene una mancha marrón en un lado. Todas las manzanas tienen manchas marrones. A nadie le gustan las manchas marrones.

—¿Se han caído? —pregunta Oskar.

—Caído, lo que se dice caído... —se limita a responder la mujer.

—¿No puedes contestar en condiciones? —dice Denisa. Pega una patada a una manzana y esta desaparece dando botes.

—Creo que lo ha hecho alguien, creo que alguien se ha colgado de las ramas y las ha sacudido para que las manzanas caigan —se lamenta la vecina. Las manzanas hacen mucho ruido cuando las echa bruscamente en una carretilla. Por eso tiene que hablar a voces. También es posible que hable a voces porque está enfadada.

—Tienes que acabar con esto —dice ella mirando a Frank.

—¿Yo? —pregunta Frank.

—Sí —responde—. Antes de que ocurra algo peor.

Descarga las manzanas en un extremo del jardín, detrás de unos arbustos, para que se queden ahí, pudriéndose.

Quizá tenga razón, piensa Frank. Él es el único que no puede ganar. Por lo tanto, es posible que sea él quien deba hacer algo. Madre no tiene intención de mover ni un dedo. Solo dirá que un águila ha arrasado el jardín y que no tiene importancia. A Frank le importa, pero es demasiado pequeño. Solo está en quinto. Puede sujetarle los lápices a una niña en el avión. pero no puede controlar de la misma manera a un pueblo entero.

Más tarde ese mismo día, en el recreo, a Frank le comunican que a la niña de séptimo le han pinchado la bicicleta. Es ella misma quien se lo dice. Le enseña con dos dedos el ancho de los pinchazos. En ambas ruedas. Ese tipo de pinchazos no aparecen por sí solos. Ya no podrá ir a hacer la compra para los ancianos.

—Esto ya no es divertido —dice a Frank.

—A mí me duele el culo —dice Denisa.

—Y la Tronca está muerta —dice Oskar.

Frank baja la mirada. Tiene una mancha negra en la punta del zapato. Un buenillón anda suelto por el pueblo. Y todos esperan que él, Frank, un muchacho de quinto, lo detenga.

De repente aparece la solución, por sí sola, durante una clase de ciencias naturales. La clase de Frank va a ver un documental sobre la Tierra. Entonces comprende cómo debe hacerlo. No es algo que aprenda del documental, sino de Jørgen. «¿Puedes apagar la luz, Jørgen?», pregunta el profesor. Jørgen es el que se sienta más cerca de la puerta. Asiente y se levanta. Antes, cuando eran más pequeños, en primero y segundo, muchos alumnos solían levantar la mano para que les dejasen apagar la luz. Los que no podían hacerlo, se indignaban. Insistían en hacerlo la próxima vez. Sobre todo, Sofie, a pesar de que apenas llegaba al interruptor. Ahora el profesor le ha dicho que en breve será mayor, y que si va a trabajar en una oficina donde alguien va a proyectar algo en una pantalla grande, no puede sentarse y refunfuñar si no la dejan apagar la luz.

Pero ahora le toca a Jørgen. Él sabe muy bien por dónde se apaga la luz. Hay un interruptor junto al marco de la puerta. Ahí se enciende y se apaga la luz. La luz se enciende y se apaga en el mismo sitio, piensa Frank.

Madre ha encendido el pueblo.

Frank debe apagarlo. Hasta aquel momento no había entendido cómo hacerlo. Ahora Jørgen le muestra lo sencillo que es. Si el profesor le hubiese pedido a Frank que apagase la luz, y Frank se lo hubiese planteado de la misma manera que el buenillón, habría empezado a buscar el interruptor por detrás de las cortinas y dentro del cajón de la mesa del profesor y en la tartera de Sofie. Toda la clase se habría echado a reír y le habrían dicho: «¡Pero Frank, si el interruptor está ahí, al lado de la puerta!».

Frank tendrá unas zapatillas nuevas. Madre no ha olvidado que se las pidió en la playa. Tienen que conducir un rato, alejándose del pueblo, pasando por un túnel y cruzando un puerto de montaña. «Un buen calzado es importante para la espalda», dice Madre. Le deja probarse todas las que quiera, hasta que encuentre un par que le guste. Frank escoge las zapatillas de deporte más caras. Son blancas y azules, con un poco de naranja. A Madre le parecen demasiado grandes. ¡Se resbala hacia delante y hacia atrás dentro de las zapatillas! El hombre de la tienda también está de acuerdo. Cuando aprieta el pulgar contra la punta de la zapatilla, el dedo gordo de Frank no aparece. Frank se ve en la obligación de mentir y decir que quiere tener unas zapatillas grandes. ¡Ya crecerá! Puede ponerse unos calcetines gordos al principio. Si no le compra esas zapatillas, ¡no quiere ningunas!

De camino a casa, Frank dice lo que ha pensado.

—¡Tienes que entregar el buenillón ya!

—No, no lo haré hasta la primavera —dice Madre—. Piensa en toda la nieve que caerá este invierno, en todos los ancianos que necesitan ayuda.

—Entonces será demasiado tarde. Tienes que hacerlo ya, antes de que ocurra algo todavía peor.

Le cuenta lo del jardín de los manzanos.

Le cuenta lo de las ruedas pinchadas de la bicicleta de la chica de séptimo.

—Son simples gamberradas —declara Madre—. Y lo de Denisa, ¡estoy segura de que no fue con mala intención!

Entran en el túnel. Mientras lo atraviesan, Frank puede hablar todo el tiempo que quiera sin que Madre lo interrumpa. Mira el reloj del coche.

—A las cinco viene una periodista a casa. La que te entrevistó. Queda media hora. La he llamado. Le diré que tengo más dinero del que necesito. Le diré que mi madre gasta muy poco. Solo conduce un viejo coche con una abolladura a cada lado a causa de los ciervos.

Madre no frena, pero suelta un poco el acelerador. Lo mira fugazmente. Aparecen coches en sentido contrario. Debe estar atenta. Frank continúa:

—Le diré a la periodista que yo voy a regalar dos. No dos buenillones, sino dos millones normales y corrientes. Y no a alguien que haga algo especial para ganárselos, sino a alguien que no haga nada especial. A alguien que no intente ganar el buenillón.

Frank mira a Madre. Tiene la boca ligeramente abierta y posiblemente parpadea más de lo normal.

—Es egoísta no dar cuando se tiene tanto —dice Frank—. Si a uno le dan, por ejemplo, una enorme bolsa de golosinas en su cumpleaños es normal compartir con los invitados. Uno no se queda en un rincón comiéndoselo todo él solo.

Madre permanece en silencio. Todavía queda un trecho para salir del túnel.

—Creo que entonces la gente dejará de fastidiarse entre sí —continúa Frank—. Si la gente puede ganar un millón por hacer algo, o dos millones por no hacer nada, ¿qué crees que harán?

Madre pisa el acelerador para llegar antes a la boca del túnel. Entonces dice:

—¿Se te ha ido la olla?

—Esto tiene que terminar. Tienes que entregar el buenillón ya —dice Frank.

—No hay nada que haya empezado que tenga que acabar —dice Madre casi gritando—. Es algo que solo te estás imaginando. Es pura superstición.

Frank permanece callado un rato. Madre agarra el volante con rigidez. El coche da pequeños tirones en las curvas. Él mira la hora.

—Veinticinco minutos.

—No me creo ni una palabra —dice Madre—. ¡De lo de la periodista! Y, además, no puedes regalar algo que no tienes. No cumplirás los dieciocho hasta dentro de mucho tiempo. Hasta que no los cumplas no tendrás nada. ¿Quién ha pagado las zapatillas hoy, por ejemplo?

—Puedo prometerlo —dice Frank—. Puedo redactarlo por escrito, que la persona en cuestión recibirá el dinero en cuanto yo cumpla los dieciocho. Luego firmaré con mi nombre para que conste que voy a mantener mi promesa.

Pasan por delante de una señal que avisa de la presencia de ciervos. Frank mira hacia el linde del bosque. No hay ciervos a la vista. Quizá hayan descubierto que el coche ya tiene abolladuras.

—No creo que hayas llamado al periódico —dice Madre—. No creo que venga nadie a las cinco. Te gustaría haberlo hecho, pero no vas a hacerlo. Justo como lo del paracaídas y la banana acuática de los que hablaste en la playa. Si te hubiese dado permiso y dinero, no lo hubieses hecho de todas formas. Te pareces demasiado a mí. Prudente. ¡Demasiado bueno!

Frank toma aire y lo suelta con un suspiro. Algunas palabras suenan mejor después de un suspiro.

—Cuando estábamos de vacaciones, saqué trescientos

euros con tu tarjeta, cuando fui al servicio y te pareció que tardaba mucho.

Madre no dice nada más, permanece callada hasta llegar a casa.

Frank coloca las zapatillas nuevas en el pasillo. Madre saca su ordenador, seguramente para comprobar su cuenta bancaria.

No le da tiempo a hacerlo antes de las cinco. Entonces suena el timbre de la puerta.

Madre envía a la periodista a casa. Es una mujer joven que protesta diciendo «pero...» varias veces. No obstante, Madre es la propietaria de la casa y la puerta y el umbral de la puerta, y es la que decide quién lo cruza. Frank espera en la cocina. Cuando el ruido del coche desaparece, declara:

—La llamaré mañana o al día siguiente, o en el momento que me apetezca.

Él está sentado en la cocina. Madre se encuentra en el salón, con los brazos cruzados, mordiéndose el labio inferior. Ha tenido tiempo para reflexionar.

—Si lo haces, mi buenillón tan solo será un calentamiento para tus dos millones.

—Sí —dice Frank—. La gente se lo pensará dos veces antes de hacer favores a los demás. Pensarán que pueden ganar un millón, pero que se arriesgan a perder dos. Podrán ganar el tuyo, pero perderán los míos.

Resulta extraño emplear palabras como «mío» y «tuyos», «uno» y «dos», para hablar de millones.

Cada uno mira por una ventana, cada uno en una habitación.

—Este será un pueblo sin buenas acciones —añade Madre.

—Un pueblo sin maldad —comenta Frank—. Todo se equilibra.

Madre se rasca la frente enérgicamente, como si le picase algo por dentro.

—Querrás tener una casa y un coche cuando seas mayor, Frank. Vas a necesitar cada corona. No puedes despilfarrar el dinero de esta manera. Además, parecerá de locos que primero yo... y que luego vengas tú y hagas todo lo contrario.

Frank no responde.

—Esto es sabotaje —dice ella.

Él niega con la cabeza, aunque ella no lo vea.

—No —repone él—. Es solo desgaste.

A mitad de una clase de lengua noruega, las campanas de la iglesia empiezan a tañer, a lo lejos, lentamente. Suenan por la Tronca. Se extenuó, dicen. Su corazón se detuvo. Las campanadas de la iglesia también hacen que el profesor se detenga a mitad de una frase antes de reanudar su discurso. Oskar se endereza y estira el cuello, igual que hacía Frank antes cuando veía una señal de ciervos. Quizá sea Oskar el que luego tenga que cubrir el ataúd de tierra, mientras su padre lo mira dándole indicaciones. Fuera del colegio la bandera está a media asta. Ahora que el asta luce tan blanca y bonita, es una pena que la bandera cuelgue flácidamente a la mitad.

Frank levanta la mano y le dejan ir al servicio. Pero no va al servicio. En lugar de eso se dirige a la puerta del aula de Pål. Las botas de agua verdes de Pål están al lado de la puerta. Al otro lado de la puerta se oye al profesor diciendo «¡necesitamos silencio para trabajar!». Frank coge las botas y se apresura a cruzar el pasillo hasta llegar a un cuartito en el que hay una enorme bolsa de basura negra. Aparta algunos desechos y coloca las botas de Pål debajo. A continuación, entra en el cuarto del material escolar, donde ha escondido una bolsa en un rincón. Dentro de la bolsa están guardadas las zapatillas nuevas, blancas y azules, con un poco de naranja. Todavía huelen a nuevo. Las coloca en el mismo sitio donde estaban las botas de agua, junto a la puerta. Cuando Pål salga, no encontrará sus botas. Seguramente se pondrá a decir palabrotas y a armar un escándalo y a salir corriendo por los pasillos. Pero nadie sabrá nada. Cuando todo el mundo haya salido del aula, solo quedarán las zapatillas que son para Pål.

Pål suele ser el primero en salir al recreo. Hoy es el último. Sale con las zapatillas puestas. Jamás antes había tenido zapatillas, solo ha tenido botas de agua. Contempla su nuevo calzado mientras pasa por delante de su charco. Los niños se giran para observarlo. ¡Pål pasa de largo ante el charco! Lo habrían mirado menos si hubiese aparecido montado en un cerdo. Incluso el charco lo observa.

Las zapatillas llevan a Pål al foso de salto de longitud. Vegard no salta tan temprano. Teme que le dé un tirón. Sin embargo, se mantiene en los aledaños del foso para ahuyentar a los niños que lo confunden con un arenero.

Pål quiere saltar. Pregunta, de hecho. Le pregunta a Vegard.

—¡Salta! —dice Vegard.

La primera vez Pål corre con pasos demasiado largos y pesados, como si todavía llevase las botas. Hace un salto corto. Aterriza con los pies juntos, como en el charco, para salpicar lo máximo posible.

—Tienes que volver a barrer la arena a su sitio después de cada salto —dice Vegard.

Pål mira la arena y la escoba. Está acostumbrado a que el agua fangosa regrese al charco por sí sola. Eso no ocurre con la arena y el foso. Pål seguramente podría haberle dado una paliza a Vegard, porque no es más que un tallo larguirucho. Sin embargo, Pål recoge la escoba. En el patio hay un silencio insólito. Al parecer, Pål jamás ha usado una escoba antes. No obstante, nadie se ríe. Cuando ha barrido la arena, quiere volver a saltar.

—Intenta dar pasos más cortos —dice Vegard.

—De acuerdo —dice Pål.

Esta vez Pål corre más deprisa. Descubre que sus zapatillas no tienen límite de velocidad. Las zapatillas de deporte nunca constituyen un obstáculo, como las botas, sino que solo ayudan.

—Aterriza con los pies por delante. La velocidad hará que el torso los acompañe —vocifera Vegard, como un profesor de educación física.

Es el dinero de Frank y de Madre el que despega de la tabla de batida. Frank espera que las zapatillas sirvan tanto para correr como para saltar. Espera que sean una buena compra.

A Pål todavía le falta algo de velocidad. Cuando aterriza, se cae de culo en la arena.

Su culo deja una huella en el foso.

Un hoyo.

Un Pål Ojete con sal.

—¿Otra vez? —pregunta Vegard.

—¡Sí! —responde Pål.

Hay una carta en el buzón. El nombre de Madre está escrito a mano en el sobre. Parece una carta para pedir limosna, de las que Frank ya ha leído unas cuantas. La abre. En el sobre solo hay una fotografía de unos niños pequeños. Son seis. Posan delante de un coche que parece bastante nuevo. En el reverso de la fotografía hay escrita una sola palabra: «¡Gracias!».

Cuando Frank entra por la puerta, tira la carta a la basura.

No se la menciona a Madre.

Huele a amoniaco, por lo que debe ser jueves. Madre está de buen humor. Los manazas, por lo visto, vuelven a ser tan desordenados como antes y, por lo tanto, ella tiene mucho que hacer en el trabajo. Mientras se toman la comida para llevar, Madre le cuenta que la hija mayor de Lampoon va a empezar a estudiar en la universidad, en su país de origen, y no todo el mundo se lo puede permitir. Es porque Lampoon ha estado enviando dinero. Cuando se lo contó desde detrás del mostrador estaba tan feliz que las lágrimas le caían por la sonrisa.

Frank no responde. O responde:

—Eso no nos ayuda en nada. No detiene lo que ha empezado.

Madre responde acentuando cada palabra:

—¡Ya estoy harta! ¡No ha empezado nada que tenga que acabar!

—Díselo al Tronco —responde Frank—. ¡O al culo de Denisa!

Frank no le dice ni una palabra más en lo que queda de día. Ni siquiera le da las buenas noches.

Al siguiente día solo mantienen alguna conversación breve y fría. Cuando Madre regresa del lavabo, Frank comenta:

—Bebiste mucho en la playa, café y agua, ¿verdad?

—¿Sí? —responde Madre.

—Pero no ibas mucho al baño.

—¿Ah, no?

—¿Fuiste al baño en el mar?

—¿A qué te refieres?

—Cuando te metiste en el agua durante dos minutos y luego volviste, ¿hiciste pis ahí?

—¿Qué clase de pregunta es esa? —pregunta Madre.

—No es un retrete. Es un mar —dice Frank—. No puedes cagarte en todo por muy millonaria que seas.

Cuando Madre retira del salón una maceta con una planta seca, Frank comenta:

—Me rindo. Tenías razón.

—¿En qué? —pregunta Madre.

—En lo que dijiste de las plantas de interior.

—¿Qué he dicho yo de las plantas de interior?

—Dijiste que yo era como una planta de maceta.

Madre echa un vistazo a la planta reseca. La ha descuidado, no la ha regado lo suficiente.

—Estás muy quejica —dice ella.

Antes de acostarse, ven un poco la tele. En todos los canales la gente está ocupada jugando al golf, al tenis y al póker, y construyendo casas con piscina en el tejado, y subiendo y bajando en una montaña rusa. Madre la apaga. Ambos se quedan contemplando la pantalla negra. Se ven reflejados, cada uno en su lado del sofá. Madre pregunta en voz baja, casi susurrante:

—No soy muy buena millonaria, ¿verdad?

—No —responde Frank igual de bajito.

—No podemos seguir así.

—No —dice Frank.

—Solo quiero lo mejor —añade ella.

—Yo también —apunta él.

—No quiero que te conviertas en un malcriado —dice ella.

—No tienes nada que temer —comenta él.

—¿Lo prometes?

—Sí —dice Frank.

Madre permanece un largo rato contemplando la pared. Es una mujer con un vestido veraniego colgado en un armario.

Un reloj en la pared cuenta hacia atrás con números rojos. El reloj está en el gimnasio, sobre la espaldera, y solo quedan cinco minutos para que se ponga a cero. El gimnasio está totalmente repleto. La tienda está cerrada. El cartero se ha tomado un descanso. Los profesores han hecho acto de presencia, cada uno con su clase. En medio del gimnasio está el bedel, diciendo a voces que hay demasiada gente. En realidad, hay reglas con respecto al número de personas que puede haber dentro. Si se produjese un incendio, por ejemplo, él sería el responsable. Deben marcharse al menos veinticinco personas, vocifera. Es su trabajo.

—Yo he llegado primero —afirma todo el mundo.

Llevan zapatos de calle dentro, en el gimnasio, donde los niños en breve se echarán al suelo para descansar después de la clase de educación física. Para respirar con la tripa. El Rarito es el único que no quiere entrar del todo. Está situado en el umbral de la puerta, mirando el reloj. Cuando el reloj llegue a cero, dice, todo estallará: ¡boom! Lo ha visto en la tele muchas veces. Él saldrá corriendo con tiempo, cuando quede un minuto, para esconderse detrás de la caseta de juguetes y taparse los oídos.

—¡Deben abandonar la sala al menos veinticinco personas! —grita el bedel.

Todos miran al escenario, por donde Madre ha asomado la cabeza una vez. Frank está con los de su clase. Han intentado sonsacarle información, que diga quién va a ganar, pero Frank no tiene ni la menor idea. Mira a su alrededor. Muchos se han puesto guapos en caso de tener que subir al escenario para recibir el buenillón. Helge Myr ha usado los restos que quedaron de la cuerda de arranque para hacerse una especie de corbata. El Cubo y la Brocha llevan camisas blancas. La conductora del autobús lleva ropa amarilla y azul, como si fuese sueca. Un hombre desconocido se saca una notita del bolsillo, la contempla durante un rato y se la vuelve a guardar. Quizá sea su discurso de agradecimiento. Denisa está al lado de Frank, mordiéndose el labio inferior.

Cuando quedan dos minutos, el bedel consigue finalmente convencer a tres hombres para que se marchen. Gracias a Dios, dice. Coloca la mano en el hombro de uno de ellos y los acompaña hasta la salida. Sin embargo, en cuanto salen al pasillo, le quitan el manojo de llaves y lo encierran en un cuartito; a juzgar por los ruidos, es el cuarto de la limpieza. Los tres hombres se ríen. Varias personas más también. El bedel golpea la mano contra la puerta y grita que tiene que salir.

—Ahora tienes todo un cuarto para ti solo. Ahí es imposible que haya demasiada gente.

El Rarito mira el reloj y niega preocupado con la cabeza.

Cuando solo queda un minuto, sale corriendo.

Cuando quedan treinta segundos, la gente empieza a chistar pidiendo silencio. Sobre el escenario solo hay un pie con un micrófono a la altura de Madre.

Cuando quedan veinte segundos, el bedel se percata de que es el único que está haciendo ruido. Si quiere oír quién gana el buenillón, debe permanecer en silencio. ¿Tal vez sea él mismo? Él cuida de la gente. Siempre se asegura de que no haya demasiadas personas dentro de un aula.

Entonces aparece Madre.

Estaría bien que se pasease por el escenario. Sin embargo, se dirige hacia el micrófono con bastante rapidez.

Intenta sonreír, pero no lo consigue del todo. Únicamente enseña los dientes durante un segundo.

Lleva una enorme lámina de cartón blanca en la mano. Si se hubiese arrodillado, podría haberse escondido tras ella. Es un cheque. Un cheque era algo que se usaba antiguamente para transferir dinero de una cuenta a otra. Ahora los cheques se usan cuando se reparte dinero en un escenario. Frank entiende que el nombre del ganador o la ganadora figura al dorso de la lámina de cartón.

Madre no está acostumbrada a hablar delante de tanta gente. Esto es bien distinto a estar en una tumbona y hablar de cualquier cosa que le venga a la mente, sobre la piel de su abuela, por ejemplo, o sobre qué mano debe usarse para limpiarse detrás; estar delante de varios cientos de personas es peor, y más si se tiene un micrófono que hace que cada palabra se convierta en algo grande e importante.

—Bueno, en realidad había pensado esperar hasta la primavera —dice Madre—. Pero ya se han hecho tantas cosas buenas por aquí que opino que no hay que esperar más.

Frank jamás ha visto a tanta gente estar tan callada. Él es el único que puede estar completamente seguro de que no va a ganar. Todos los demás parecen expectantes. Seguramente tengan la esperanza de que lo que han hecho, ya sea pequeño o grande, aunque solo sea haber ordenado un estante de especias por orden alfabético, sea suficiente para ganar.

—Muchos aquí merecen más que un agradecimiento, pero solo uno recibirá el buenillón —dice Madre.

Entonces anuncia el nombre del ganador al mismo tiempo que gira la cartulina. El propietario del nombre no comprende, de buenas a primeras, que ha ganado. Ha sido muy de sopetón. Probablemente pensaba que Madre iba a decir: «Y el ganador es...», y luego hacer una larga pausa.

—Hay algo de ese hombre que no me cuadra —dice Denisa.

Han salido. Están en el patio, esperando a que el ganador salga hacia su coche. Tarda bastante, ya que muchos quieren hablar con él y felicitarlo. El hermano pequeño de Vegard agita una bandera y grita «¡hurra!». La madre de Edel está en medio del patio con *Chuchi*, que ladra sin parar porque todos pasan por delante de él. Se oyen muchos sonidos. En medio de todo suena el timbre del colegio. No es posible saber si suena para anunciar el comienzo o el final de las clases, pues es exactamente el mismo sonido, por lo que los alumnos se quedan fuera. Los adultos que atraviesan el patio, de camino a casa o de vuelta al trabajo, dicen «se lo merece» y «después de todo lo que ha hecho por los críos» y «qué alegría que se haya echado novia».

—¿Qué es lo que no te cuadra? —pregunta Frank.

Ahora el ganador, Rolf, el granjero, sale en dirección al aparcamiento con el gigantesco cheque en una mano y la novia en la otra. La novia lleva los labios pintados de rojo. Rolf tiene una marca de pintalabios en la mejilla. Su alegría parece contagiar a los demás. A excepción de Denisa.

—No lo sé muy bien. Pero algo hay.

La novia de Rolf se acerca primero al coche y abre una de las puertas traseras. El cheque es tan aparatoso que es preciso meterlo en el asiento trasero. ¡Un buenillón entero! Un periodista saca fotos. El encargado de la tienda se apresura a ir a abrir su negocio. Tal vez piense que Rolf querrá ir a hacer la compra allí.

Denisa los mira de soslayo. Cuando uno mira de soslayo, parece suspicaz.

Rolf, el granjero, arranca el coche. La novia sonríe y saluda desde el asiento del copiloto, como si fuese una famosa. Muchos le devuelven el saludo. El coche emite pequeños y alegres toques de claxon. Es el sonido contrario a las campanadas en un entierro.

Se quedan mirando el coche hasta que desaparece. Luego vuelve a sonar el timbre del colegio. Si antes no sonaba para anunciar que era hora de entrar, esta vez sí que lo hace.

Ahora todo se calma. Pasan muchos días sin que nadie se desmaye en una cuneta o escriba palabrotas en el asfalto. Todos los gatos y perros pueden ir tranquilos. El autobús escolar no desaparece en países extranjeros. Si alguien saca fuera sus alfombras, solo golpea las alfombras y no a los niños inocentes que pasan por allí. Una semana entera transcurre sin fechorías. Frank recibe dibujos de color carne de los niños pequeños de primero. Ha apagado lo que Madre encendió. El pueblo vuelve a ser como antes.

Vegard y Pål practican salto de longitud después del colegio casi todos los días. Vegard tiene unos nuevos calcetines de esos que llegan hasta las rodillas. Antes llevaba unos azules con rayas blancas. Ahora tiene unos calcetines blancos con rayas azules. Los nuevos parecen un poco más adultos.

—¿Por qué usas realmente calcetines hasta las rodillas? —le pregunta Frank.

—Todos los mejores del mundo llevan ese tipo de calcetines —responde Vegard.

—Pero ¿no saltas igual de lejos con calcetines cortos?

—No, qué va —dice Vegard con una sonrisa que deja claro que era una pregunta estúpida.

Pål también sonríe con desprecio, aunque él lleve calcetines cortos. Se ríe burlonamente de Frank a pesar de que es
Frank quien le ha comprado las zapatillas que lleva.

—En voleibol también usan calcetines altos, ¿verdad?
—comenta Vegard.

—¿Sí?

—Y en baloncesto.

—No me digas.

—Y en salto de altura.

—Sí, sí —dice Denisa—. ¡Pero Frank te está preguntando
por qué!

Vegard no quiere responder a eso. Se limita a sonreír y
permanece callado, como si fuese un secreto, como si fuese
algo que le hubiesen comunicado en una carta por correo
desde la Confederación Noruega de Salto de Longitud y no
tuviese permiso para compartirlo con nadie más.

Se quedan un rato viéndolos saltar. Frank sospecha que
Denisa admira a Vegard de alguna forma. Vegard es el único
del pueblo que ha mostrado interés por abandonar la faz de
la tierra, aunque solo sea a través de un salto de longitud,
permaneciendo un segundo en el aire; aun así, es posible que
ella considere el salto de longitud como una especie de aero-
náutica.

La terraza de Madre y Frank es bastante pequeña. Lo suficientemente grande para sacudir una alfombra, y lo suficientemente grande para asomarse cuando se le está echando la bronca a la gente que revuelve en los canalones. Apenas es lo suficientemente grande para que quepan tres sillas pequeñas y una minúscula mesa con un bol. En el bol hay nudos de canela recién hechos que Denisa se mete enteros en la boca. Mastica con toda la cara, sin embargo, intenta hablar. Madre toma café y lee un libro con un ojo. Frank se ha quitado un calcetín y lo ha doblado por la mitad, poniéndolo debajo de la pata de su silla para que no se tambalee.

—Queda muchísimo para que Frank cumpla dieciocho —comenta Denisa.

—Los años pasan muy rápido —dice Madre.

Lleva puesto el sombrero con agujeritos, aunque no haga especial calor.

—Entonces, hasta que cumpla los dieciocho, ¿Frank tendrá que ser un niño normal y corriente?

—Sí —responde Madre con determinación.

Desde la terraza tienen buenas vistas. Observan cómo un avión dibuja un trazo blanco en el cielo, hacia el sur. Del muelle zarpa un barco en dirección a los bancos de pesca. Un coche con la música a tope atraviesa el pueblo con gran estruendo, seguramente de camino a la gasolinera, a por un perrito caliente con queso. Por lo demás, el pueblo es exactamente como antes. Césped con casas. Casas con césped. Alguna oveja que otra. Desde la casa del granjero se oyen martillazos. Está construyendo una terraza alrededor de toda la vivienda.

—Nosotros también podríamos ampliar la terraza —dice Frank.

—Para jugar al bádminton —propone Denisa. Hace un gesto estiloso con la muñeca que no está usando.

Madre toma un sorbo de café y niega levemente con la cabeza.

—Aquí tenemos un bol lleno de nudos de canela, ¿verdad? Si el bol hubiese sido más grande, solo estaría medio lleno, ¿no?

—Sí, ¿y qué? —preguntan Frank y Denisa al unísono.

—La nueva terraza del granjero será grande y bonita. Pero la mayoría del tiempo estará vacía. Una terraza grande vacía es más triste que una terraza pequeña vacía, ¿no os parece?

—Sííí —dice Denisa lentamente—. Visto así.

—Tenéis que coméroslos mientras estén calientes —dice Madre.

Frank y Denisa cogen un nudo cada uno y lo engullen con refresco rojo, que a Denisa le gusta mucho más que el amarillo. Cuando no hablan, oyen los martillazos del granjero con especial intensidad.

—Hay algo de ese hombre que no me cuadra —dice de nuevo Denisa, exactamente como lo hizo fuera del colegio cuando el granjero salió con el enorme cheque.

A lo lejos ven cómo la novia del granjero le ayuda a construir la terraza. Los dos parecen más pequeños que las moscas que Denisa ha matado últimamente.

—¿El qué? —pregunta Frank nuevamente.

—¿Te acuerdas de cuando construimos las pistas de minigolf y él tuvo que ir a comprar más sirope para refresco?

—Sí —responde Frank.

—No condujo hasta la tienda, sino hasta la gasolinera, aunque esté el doble de lejos.

—Y también es el doble de caro.

—Ahí es donde trabaja su novia. En la gasolinera.

—¿Y? —pregunta Frank.

—Creo que él ya estaba enamorado de ella por aquel entonces. Por eso fue a la gasolinera a comprar.

Frank mastica con la misma lentitud con la que asiente. Denisa ha hablado tanto que se ha acalorado.

—Pero no se atrevía a hablar con ella. Estaba enamorado de ella sin que ella lo supiese.

—¿Y qué?

—Pues... que creo que lo hizo él mismo —declara Denisa.

Madre aparta la mirada del libro.

—¿Hizo el qué? —pregunta Frank.

—¡Destruir el minigolf! ¡Lo roció con gasolina y lo incendió!

Frank la mira. Ella le devuelve la mirada; lo mira a él, solo a él, como si Madre no existiese.

—¿Por qué iba a hacerlo?

—Ella regresa del trabajo en mitad de la noche. Seguramente, todas las noches a la misma hora, ¿no crees?

—Sí.

—Y a esa hora no hay nadie más despierto. Por consiguiente, Rolf puede haber pensado: «Si hay un incendio en mi jardín cuando ella pase por delante, se detendrá y vendrá a despertarme». Así podré conocerla.

Frank siente que se le eriza la piel, como cuando le llegó el mensaje sobre el incendio mientras estaba en la playa.

—Él puede haber pensado: «Si todo se quema, le daré lástima a la gente» —dice Denisa.

—Yo, que me he portado tan bien con todos los niños del pueblo —replica Frank con la voz de granjero.

—Les he comprado sirope y todo. He hecho que se levanten del sofá. Les he enseñado a hacer carpintería. Como consuelo recibiré el buenillón. Y quizá hasta me lleve a la princesa al mismo tiempo.

Frank mira a Madre. Denisa probablemente haya estado reflexionando sobre el tema por un tiempo. Tal vez haya pensado que Madre atará cabos y se levantará de un brinco y cogerá el coche y se irá hasta la casa del granjero para apuntarle con un dedo severo y acribillarle a preguntas. Sin embargo, Madre solo eleva ligeramente el mentón para echarle un vistazo a la granja y luego le da un sorbito al café antes de continuar con su lectura.

—Pero ¿tienes pruebas? —pregunta Frank.

—No —responde Denisa.

—¿Es solo algo que crees?

—Sí.

El bol de nudos de canela está medio lleno. Si el bol hubiese sido más grande, estaría casi vacío.

—¿Y todo lo demás? —pregunta Frank—. ¿La cuerda de arranque y el aparcamiento y las manzanas y los pinchazos? ¿Crees que ha sido él?

Denisa se encoge de hombros.

—Madre piensa que ha sido un águila —comenta Frank.

Denisa espira por la nariz.

Frank se imagina un águila entrando al vuelo en el garaje de Helge Myr y picoteando la cuerda de arranque del cortacésped hasta partirla en dos. Madre llega a una página en blanco. Mete el dedo en medio como si fuese un marcapáginas. Se quita el sombrero y reclina bien la cabeza, como si quisiera broncearse el cuello.

Frank y Denisa tardan unos minutos más en vaciar el bol y la jarra de refresco de sirope.

—Yo creo que ha sido un águila —dice Madre.

Siguen su dedo con la mirada. En lo alto vuela un enorme pájaro negro con alas deshilachadas. No es necesariamente un águila. Puede ser otra ave grande y salvaje. Apenas se ven águilas. No se dejan seducir por algún que otro resto de comida sobre una piedra en la orilla. Frank y Denisa observan al ave, se miran el uno al otro y después a Madre.

En su rostro se dibuja una sonrisa. Es una señora con dos niños saciados en una terraza pequeña.

Pål y Vegard hacen salto de longitud después del colegio. Se alternan para barrer. Frank y Denisa y Oskar y Sofie y muchos otros se quedan observándolos algunos minutos. Denisa ya no mata moscas. Lo dejó cuando el buenillón desapareció en el asiento trasero del granjero. Jørgen no se va a casa para ordenar el estante de las especias. Oskar ha cubierto con tierra a la Tronca y nadie más ha muerto mientras tanto. Tienen mucho tiempo, pero nada especial en que emplearlo.

—Es más o menos como antes —dice Sofie.

—¿Antes de qué? —pregunta Frank.

—Antes del buenillón.

A Sofie le gusta dibujar caritas sonrientes, pero ahora no hay ninguna sonrisa dibujada en su cara. Frank también nota las miradas de los demás. Albergaban la esperanza de que fuese capaz de convencer a Madre para despilfarrar, pero no ha conseguido sacarle ni un céntimo. Lo único que se ha comprado es un sombrero y un cortaúñas. Frank suspira, de la misma manera en que Madre lo ha hecho últimamente.

—Tenemos un jardín bastante grande en casa —dice Jørgen.

Todos lo miran interrogantes.

—¿Jardín?

—Y algunos contrachapados de cuando hicimos la buhardilla. Son bastante largos.

Pasan unos segundos antes de que los demás se percaten de qué está hablando.

—Yo puedo conseguir tubos —dice Natalie—. Y creo que tenemos pegamento en el garaje.

—Yo tengo más suelo vinílico —comenta Denisa.

—Nosotros tenemos vasos de papel en casa —anuncia una voz desconocida.

Todos se giran. Es el crío de tercero que igualó el récord; está un poco alejado del grupo y parece querer acercarse.

—Y yo tengo un rotulador negro —dice Sofie.

—Pero ¿tienes un árbol en el jardín al que pueda subirme para reírme a carcajadas? —pregunta la niña de sexto.

—Un abedul —responde Jørgen.

—De acuerdo —dice la muchacha—. Aunque los manzanos son mejores.

—Yo no tengo un gato —dice Edel—. Pero sí una perrita a la que le gusta que la acaricien debajo del hocico.

Todos miran a Frank. Es el único que no ha dicho nada.

—Yo tengo una lata de piña —dice Frank.

Nota que se le escapa una sonrisa, malévola y bondadosa al mismo tiempo.

—Y una lata de aceitunas que compré en la playa. ¡Con anchoas!